Martin Cohen
99 philosophische Rätsel

Zu diesem Buch

Philosophen lieben Rätsel. Schon im alten Griechenland galt
es als eine Art Sport, verblüffend einfache Fragen zu stellen,
um sich dann wochenlang die Köpfe heiß zu diskutieren.
Denn nicht zuletzt sind Rätsel eine spielerische Anleitung
zum Philosophieren. Ist Schnee weiß? Was ist Liebe? Ist Zeit
umkehrbar? Was ist Gerechtigkeit? Martin Cohen öffnet die
Schatztruhe philosophischen Denkens: 99 Fragen zu Logik
und Erkenntnistheorie, Ethik und Religion, Physik und
künstlicher Intelligenz erklären auf äußerst unterhaltsame
und einfach verständliche Weise die Grundlagen der Philosophie und führen in die Welt berühmter Denker ein. Man kann
sich diesem »Handbuch für das kritische Denken« auf ganz
unterschiedliche Weise nähern. Wie auch immer – wer mit-
denkt, ist auf dem besten Wege, Philosoph zu werden. Eine
vergnügliche und anschauliche philosophische Entdeckungsreise.

Dr. Martin Cohen ist Herausgeber der Zeitschrift »The Phi-
losopher« und unterrichtet Philosophie und Pädagogik der
Philosophie an Schulen und Universitäten in Australien und
England, zuletzt am Centre for Social Change Research in
Brisbane, Australien. Er ist Autor zahlreicher Bücher.

Martin Cohen
99 philosophische Rätsel

Aus dem Englischen von
Dirk Oetzmann

Mit 87 Abbildungen

Piper München Zürich

Ungekürzte Taschenbuchausgabe
Piper Verlag GmbH, München
1. Auflage Januar 2004
2. Auflage April 2004
© 1999 Martin Cohen
Titel der englischen Originalausgabe:
»101 Philosophy Problems«,
Routledge / Taylor & Francis Group, London / New York 1999
© der deutschsprachigen Ausgabe:
2001 Campus Verlag GmbH, Frankfurt am Main
Umschlag / Bildredaktion: Büro Hamburg
Isabel Bünermann, Julia Martinez /
Charlotte Wippermann, Kathrin Hilse
Umschlagabbildung: Quint Buchholz (»Frau in schwebendem Stuhl«,
Buchbilderbuch. © 1997 Sanssouci im Carl Hanser Verlag, München – Wien)
Satz: Fotosatz L. Huhn, Maintal-Bischofsheim
Druck und Bindung: Clausen & Bosse, Leck
Printed in Germany   ISBN 3-492-23956-0

www.piper.de

Inhalt

Frisch ans Werk!

»99 Rätsel?!«, mag der Leser ausrufen: »Ich wusste gar nicht, dass es so viele philosophische Fragen gibt!«

Zugegeben, auch einige Philosophen würden über diese Zahl staunen. So kam Bertrand Russell in seinem Buch *Probleme der Philosophie* nur auf etwa ein Dutzend, und A. C. Ewing zählte gar nur sechs. In seinem bemerkenswert langatmigen Werk *Central Questions of Philosophy* nähert A. J. Ayer sich immerhin der Hundertermarke, doch bei genauerem Hinsehen erweisen sich seine Fragen lediglich als unerquickliche Aneinanderreihung verschiedener Philosophieprofessoren und ihrer Theorien.

Doch lassen wir die Kollegen beiseite und kommen wir zur Sache – den 99 philosophischen Rätseln in diesem Buch. Denn so viele Fragen sind nötig, um die ganze Schatztruhe philosophischen Denkens auszubreiten. Und wenn ein paar unwichtige dabei sind, dann nur deshalb, weil sie witzige Kostbarkeiten sind, die auch entdeckt werden wollen.

In Erzählungen wird jede einzelne Frage prägnant auf den Punkt gebracht. Weil die Aufgaben aus dem täglichen Leben gegriffen sind, wird schnell klar, worum es geht. Auf die von den Akademikern so geliebten Fachausdrücke habe ich verzichtet. Das bedeutet aber nicht, dass dadurch auch nur eine wichtige Theorie oder Fragestellung ignoriert würde.

Einige Philosophen reagieren auf Klarheit zwar so wie Vampire auf Sonnenlicht: Sie bedecken schaudernd ihre Augen, um die eindeutigen Worte und verständlichen Sätze nicht sehen zu müssen, die ihre private kleine Welt bedrohen. Wir aber brauchen solche Bedenken nicht zu haben. Stattdessen folgen wir einer viel älteren Tradition von Denkern, die Philosophie als Handlung und als erlernbare Fähigkeit verstehen.

Natürlich werden auch hier Fakten vorgestellt. Und was die Arbeitsweise betrifft, ist dies sozusagen ein Handbuch für die subversivste Form der Philosophie: für das »kritische Denken«. Dieser Ansatz gerät heutzutage ein wenig in Vergessenheit, seit Philosophen ihn in einen goldenen Käfig gesperrt haben. Das war nicht immer so. Im alten Griechenland, wo das Wort Philosophie seinen Ursprung hat, galt Klarheit als höchstes Ziel. Verschraubte Sophisterei galt als minderwertige Form der Philosophie. Sollte es diesem Buch gelingen, an diese alte Tradition anzuknüpfen, dann hätte es seinen Anspruch eingelöst. Und wenn dies einigen selbstgefälligen, ernsthaften Denkern noch zu einfach ist, sollten sie versuchen, einige der folgenden Fragen zu beantworten!

Bevor wir aber selbst unseren Versuch starten, sehen wir noch, was Bertrand Russell über philosophische Fragen im Allgemeinen zu sagen hat:

Philosophie soll nicht um der definitiven Antworten auf ihre Fragen willen betrieben werden, denn es kann grundsätzlich keine eindeutigen Antworten geben, sondern um der Fragen selbst willen; diese Fragen sind es, die unsere Konzeption des Möglichen erweitern, unsere intellektuelle Vorstellungskraft bereichern und den Wall von Dogmen durchbrechen, der den Geist am Wandern hindert; vor allem aber wird durch die Großartigkeit des Universums, die die Philosophie zu erahnen versucht, der Geist selbst an Größe gewinnen und dazu fähig, mit dieser Welt eins zu werden und so ihr höchstes Gut zu erlangen.

Wie Sie mit diesem Buch am besten umgehen

Philosophie ist eine Aktivität. Man könnte sie sich sogar als eine Art Gedankenexperiment vorstellen. Daher sollten Sie die Fragestellungen und erst recht die Antworten in diesem Buch nicht einfach geduldig hinnehmen. Natürlich könnten Sie sämtliche Fragen schlicht auswendig lernen, um sich Grundkenntnisse über die Philosophie anzueignen, aber so lernen Sie noch längst nicht zu philosophieren. Dafür müssen Sie dieses Buch mit kritischem Blick lesen, die Hypothesen hinterfragen und die Argumente anfechten. Das zeichnet den Philosophen aus. Das zeichnet allerdings auch Sophisten und Pedanten aus, also Menschen, die versuchen uns zu verwirren, oder die an Kleinigkeiten herumkritteln. Deshalb dieser Beipackzettel mit ein paar warnenden Hinweisen vorab:

1. Dieses Buch macht süchtig, und Sie werden es kaum aus der Hand legen wollen. Dennoch sollten Sie es nicht in einem Anfall philosophischer Raserei von vorn bis hinten durchlesen. Vermeiden Sie, sich zu viele Fragen auf einmal zu stellen. Nehmen Sie sich stattdessen immer wieder ein oder zwei Probleme vor. Die Reihenfolge der Fragestellungen ist bewusst darauf ausgerichtet, philosophisches Denken anzuregen, so dass das Buch mehr ist als die Summe seiner Teile. Die Diskussionen im zweiten Teil des Buches sind als Hilfestellungen für selbstständiges Philosophieren gedacht, sie sollen keine schnellen »Antworten« liefern. Denkpausen machen nicht nur die abschließenden Diskussionen interessanter, sondern auch die Fragen selbst. Denn wie Bertrand Russell bereits bemerkt hat, sind die Fragen wichtiger als die Antworten.

2. Versuchen Sie niemals, die Fragestellungen auf ihren logischen oder symbolischen Gehalt hin zu überprüfen (siehe auch zum besseren Verständnis das Stichwort »Formale Logik« im Glossar), wie es ein Freund von mir getan hat. Der Arme wurde natürlich fast verrückt und fristet sein Dasein nun als Philosophieprofessor an einer Universität in Nordengland.

3. Achten Sie schließlich darauf, dass Sie Ihre Schüler, Kinder oder gar Ihren Hund nicht überbeanspruchen oder ihnen womöglich das ganze Buch als ermüdendes Aufgabenpaket vorlegen. Philosophie lässt sich nämlich mit einem wachen Geist viel besser betreiben als mit einem müden und unwilligen.

Die Fragen in diesem Buch kann man auf ganz unterschiedliche Weise angehen. Auf konventionelle, wissenschaftliche Art betrachtet, sind sie Probleme, die verstanden und gelöst werden müssen. Wenn man sie jedoch intuitiv angeht, gelangt man zu der eigentlichen Aufgabe der Philosophie: Die Entdeckung der Wirklichkeit hinter den Begriffen und der Logik.

Am besten liest man dieses und wahrscheinlich alle Bücher über Philosophie als philosophische Entdeckungsreise, auf der viel Neues zu finden, zu bedenken, aber noch nicht ganz zu verstehen oder gar zu durchschauen ist. Eine Reise also, an deren Ende man erkennt, dass man kaum mehr weiß als am Anfang. Vielleicht wissen Sie hinterher sogar weniger, aber ich bin mir sicher, dass Sie trotzdem einiges gelernt haben.

Zum Aufwärmen: Zehn logische Fallstricke und Paradoxien

Der gestrenge Richter

I

Richter Furcht hat bereits mit vielen unangenehmen Menschen zu tun gehabt, aber jener, der sich selbst »der Philosoph« nannte, obwohl er dieses Fach nie studiert hatte, hatte ihn wirklich verärgert. Furcht verkündet:

»Ich werde dich den Wert der Ehrlichkeit lehren, Häftling. Du bist für schuldig befunden worden, ein Gauner und Schwindler zu sein, der das Gericht mehrfach vorsätzlich belogen hat, um seine erbärmliche Haut zu retten. Nun aber erhältst du deine gerechte Strafe, mein Freund. Du wirst dazu verurteilt ...« (hier macht der Richter eine wirkungsvolle Pause, zieht ein paar schwarze Handschuhe an und setzt einen kleinen schwarzen Hut auf) »... am Halse aufgehängt zu werden, bis der Tod eintritt. Bis zu diesem Tag bleibst du eingesperrt. Da ich jedoch ein großmütiger Richter bin, gebe ich dir noch eine Gelegenheit, den Wert der Ehrlichkeit schätzen zu lernen. Wenn es dir gelingt, am Tag deiner Hinrichtung eine wahre Aussage auf einem Zettel niederzuschreiben, wird die Strafe in zehn Jahre Gefängnis umgewandelt. Sollte deine Aussage nach Meinung des Obersten Scharfrichters jedoch falsch sein, wird das Urteil sofort vollstreckt. Ich warne dich«, fügt Furcht hinzu, als er sieht, dass seine Worte nicht den gewünschten Effekt hatten, »der Mann ist Mitglied im Verein der Logisch-positivistischen Scharfrichter und wird jeden metaphysischen Unsinn sofort durchschauen, also versuche besser nicht, ihn hereinzulegen! Ich gebe dir einen Tag Bedenkzeit!«

Daraufhin applaudieren die Schöffen dem Richter für sein strenges Urteil. Alle Anwesenden schauen auf den Angeklagten und sind zufrieden, dass dieser Halunke eine so harte Strafe bekommen hat und sich zusätzlich durch seine öffentliche Erklärung demütigen muss. Zur Verwunderung aller aber grinst der Philosoph nur, als er in die Todeszelle gebracht wird.

Am Tag der Hinrichtung überreicht der Verurteilte dem Richter strahlend seinen Zettel. Dieser liest ihn mit wachsender Bestürzung, knüllt ihn schließlich wütend zusammen und bestimmt, dass der Philosoph ohne jede weitere Strafe frei gelassen wird.

Mit welcher Aussage kann der Gefangene sich retten?

Die Kuh auf der Weide

2

Bauer Huber macht sich Sorgen um seine preisgekrönte Kuh Lotte. Auch als sein Knecht ihm sagt, Lotte grase friedlich auf der Weide, beruhigt ihn das nicht, denn er will ganz sicher sein. Er will nicht nur mit neunundneunzigprozentiger Wahrscheinlichkeit glauben, dass es Lotte gut geht, er will es *wissen*.

Bauer Huber geht also hinaus und sieht vom Gatter aus hinter ein paar Bäumen in der Ferne ein schwarz-weißes Etwas, das er als seine Lieblingskuh erkennt. Er geht zum Hof zurück und berichtet, dass mit Lotte alles in Ordnung sei.

Aber weiß Bauer Huber dies wirklich genau?

Der Knecht geht ebenfalls aufs Feld hinaus, um nach dem Rechten zu sehen. Er findet Lotte schlafend in einer versteckten Senke, die vom Gatter aus nicht einzusehen ist. Außerdem entdeckt er ein großes Stück schwarz-weißes Papier, das sich in einem Baum verfangen hat.

Lotte befindet sich tatsächlich auf der Weide, wie der Bauer geglaubt hat. Durfte er aber wirklich behaupten, dies zu *wissen*?

3 Das Problem des Protagoras

Euathlos wurde von Protagoras zum Anwalt ausgebildet. Man traf eine großzügige Vereinbarung, nach der Euathlos nicht für sein Studium bezahlen muss, bis und sofern er seinen ersten Fall gewinnt.

Zum Ärger von Protagoras, der viel Zeit für die Ausbildung seines Schülers aufgewendet hatte, entscheidet dieser sich jedoch, Musiker zu werden und die Robe an den Nagel zu hängen. Protagoras verlangt daraufhin, dass Euathlos ihn für seine Ausbildung bezahlt. Euathlos aber weigert sich, und so geht Protagoras vor Gericht.

So wie Protagoras die Dinge sieht, muss Euathlos, wenn er den Prozess verliert, seine Schulden an ihn zurückzahlen. Aber auch wenn Euathlos gewinnt, muss er bezahlen, da er ja dann seinen ersten Prozess gewonnen hat.

Euathlos sieht die Sache etwas anders. Wenn ich verliere, so denkt er, habe ich meinen ersten Prozess verloren und muss, wie der Vertrag es vorsieht, keinen Pfennig bezahlen. Wenn ich jedoch gewinne, darf Protagoras nicht mehr auf dem Vertrag beharren, sodass ich ebenfalls nicht zahlen muss.

Nun können nicht beide Recht haben. Wer aber begeht den Denkfehler?

Der Friseur vom Hindukusch

4

Der Herrscher des Hindukusch legt großen Wert auf ein gepflegtes Äußeres. Er erläßt einige Gesetze hinsichtlich Kleidung und persönlicher Hygiene. Die seltsamste Weisung bekommt aber der Barbier der Stadt. Er wird angewiesen, jedem Untertanen innerhalb von sechs Monaten die Haare zu schneiden. Wer danach noch keinen ordentlichen Haarschnitt hat, soll enthauptet werden. Für jeden Haarschnitt soll der Barbier einen Silbertaler bekommen. Aus Gründen der Reinlichkeit werden keine Hobby-Barbiere zugelassen – niemand darf also etwa seinen Freunden die Haare schneiden. Um weiterhin sicher zu gehen, dass der Barbier nicht auch für die kassiert, die sich die Haare selbst schneiden wollen, wird ihm eine Wache zur Seite gestellt, die ihm die Hände abhacken soll, falls er eine der Regeln bricht.

Anfangs ist der Barbier hocherfreut – er sieht sich bereits in Silber schwimmen. Dann aber kommt ihm ein entsetzlicher Gedanke, der ihm wie ein Schock in die Glieder fährt.

In der folgenden Nacht, nachdem er den ganzen Tag Haare geschnitten hat, ohne dafür bezahlt zu werden, flieht der Barbier in die Berge, wo er sich die nächsten 20 Jahre versteckt hält.

Warum lässt sich der Barbier diese einmalige Gelegenheit entgehen, viel Geld zu verdienen?

5 Der Rabe

Ein Philosoph am kaiserlichen Hof wird oft damit beauftragt, bestimmte Aussagen zu beweisen. So auch die folgende, auf die ein Baron im Streit gewettet hatte:

Alle Raben sind schwarz.

Für die Beweisführung, überlegt der Philosoph, muss er alle Raben der Welt, die bisher gelebt haben, die jetzt leben und eigentlich auch die, die noch gar nicht geboren sind, finden und überprüfen, ob sie schwarz sind. Das ist ein völlig unmögliches Unterfangen.

Als Alternative dazu, erkennt der schlaue Philosoph, könnte man auch alle nicht-schwarzen Dinge daraufhin überprüfen, um zu sehen, ob vielleicht Raben darunter sind.

»Finde alle Nicht-Raben und überprüfe, ob sie nicht schwarz sind«, weist der Philosoph daraufhin seinen Assistenten an. Was ihm noch zu denken gibt, ist die Tatsache, dass ein Nicht-Rabe sehr wohl schwarz sein darf.

Ein weiteres Problem bleibt bestehen: Selbst wenn nach der Überprüfung alle Raben tatsächlich schwarz sind, kann als nächstes beispielsweise ein grüner Rabe geboren werden. Der Philosoph lässt sich jedoch nicht beirren. Als er an den Hof des Kaisers zurückkehrt, ist er sich sicher, schlüssig beweisen zu können, dass alle Raben schwarz sind. Er gibt der Versammlung bekannt:

»Meine Damen und Herren, die Antwort ist ganz einfach. Wir *definieren* alle Raben als schwarz. Unter dieser Voraussetzung ist zum Beispiel ein grüner Rabe gar kein Rabe, sondern nur ein grüner Vogel, der zufällig dieselben Eigenschaften besitzt wie ein Rabe, abgesehen von seiner Farbe. Dennoch kann es sich per Definition nicht um einen Raben handeln. Alle Raben sind also tatsächlich schwarz.« Applaus brandet auf. Da aber tritt der Wärter der kaiserlichen Raben nach vorne, mit einem schwächlichen, krank aussehenden Vogel auf der Hand.

»Was ist dann ein Rabe, dessen Federn aufgrund einer Krankheit *zeitweise* grün geworden sind?«, fragte der Wärter.

6   Das Kiosk-Dilemma

Zwei Mädchen werden erwischt, als sie versuchen, durch das Fenster des Schulkiosks einzusteigen. Die Rektorin Dr. Schröder fordert sie daraufhin mit aller Strenge auf zuzugeben, die schon lange gesuchten Kioskeinbrecher zu sein. Sie weigern sich. Die Rektorin schickt nun eines der Mädchen aus dem Zimmer und spricht mit der anderen unter vier Augen.

»Anna«, beginnt Dr. Schröder traurig, »es wäre besser, wenn du alles zugibst. Wenn du das tust, werde ich die Strafe bis zum Ende des Semesters aussetzen.«

»Aber ich bin's nicht gewesen«, jammert das Mädchen.

»Wenn du wirklich nichts getan hast, brauchst du auch keine Angst zu haben. Wenn Annete aber zugibt, dass ihr beide gestohlen habt, werde ich dafür sorgen, dass du von der Schule verwiesen wirst! Geh' jetzt bitte ins Nebenzimmer, schicke Annette zu mir und denke über das nach, was ich gesagt habe.« Dr. Schröder spricht im Folgenden mit Annette, wiederholt das Gesagte noch einmal und schickt sie dann zum Nachdenken in ein anderes Zimmer.

Eine halbe Stunde später fragt sie Anna noch einmal, ob sie die Vergehen jetzt zugeben will.

Ganz abgesehen davon, ob Anna schuldig ist oder nicht – was kann sie tun, um die Strafe möglichst niedrig zu halten?

Die nicht angekündigte Klassenarbeit

7

Der Lehrer des Philosophiekurses gibt bekannt, dass er bald eine unangekündigte Klassenarbeit schreiben lassen wird. Inhalt des Tests werde der Lehrstoff des Halbjahres sein, vor allem die 256 logischen Thesen des Aristoteles. In scharfem Ton fügt der Lehrer hinzu, dass die Schüler bisher besonders faul gewesen seien. Die Klasse ist verärgert und murrt. »Wann soll das denn stattfinden?«, fragen einige verdrossen.

Der Lehrer lächelt hintergründig. »Ich werde mich hüten, euch das auf die Nase zu binden. Es kann von jetzt an in jeder Stunde soweit sein. Nur eines kann ich euch verraten: Wenn der Test stattfindet, wird es auf jeden Fall eine Überraschung für euch sein!«

Nach der Schule unterhalten sich Robert und Patrizia über die schlechte Nachricht. Robert macht sich Sorgen, weil er ein miserables Langzeitgedächtnis hat.

»Ich weiß, dass ich die Arbeit bestehen kann«, sagt er. »Wenn ich nur wüsste, wann wir den Test schreiben, dann könnte ich mich am Abend davor vorbereiten.«

»Nur keine Angst«, entgegnet Patrizia, »ich glaube, der Pauker macht sich über uns lustig – ich denke, es wird gar keinen Test geben.«

Sie erklärt, dass die Arbeit nicht in der letzten Stunde vor den Ferien stattfinden kann, weil der ganze Kurs dann ja wüsste, dass sie in dieser Stunde geschrieben wird und sich am Tag zuvor vorbereiten würde. »Na toll«, antwortet Robert spöttisch, »dann passiert es eben zwischen morgen und dem vorletzten Schultag?«

Patrizia fährt geduldig fort. »Auch der vorletzte Tag scheidet aus, denn da wir wissen, dass er nicht in der letzten Stunde geschrieben werden kann, ist am vorvorletzten Schultag schon klar, dass der Test am nächsten Tag stattfindet!«

Jetzt versteht Robert. »Also kann es auch in der drittletzten und viertletzten Stunde nicht passieren – eigentlich überhaupt nicht! Hey, das ist großartig, der Pauker versucht nur, uns Angst zu machen! Er kann die Arbeit gar nicht abhalten, ohne die Sache mit der Überraschung zurückzunehmen. Er hat sich selbst reingelegt!«

Die beiden verraten den anderen nichts und amüsieren sich köstlich, weil diese sich in der nächsten Zeit mühen, die 256 Thesen des Aristoteles und ähnlichen Unsinn auswendig zu lernen. Dann, nur eine Woche nach der Ankündigung, erscheint der Lehrer mit der Klassenarbeit in der Hand.

»Das können Sie doch nicht machen!«, ruft Robert aus.

»Warum denn nicht?«, entgegnet der Lehrer erstaunt.

»Weil es eine Überraschung sein muss – Sie können die Arbeit nicht geben, wenn wir es erwarten!«

»Schon, Robert«, antwortet der Lehrer ein wenig von oben herab, »aber du hast die Klassenarbeit *nicht* erwartet und ich *halte* sie ab.«

Gab es einen Fehler in Roberts Überlegungen – *oder ist der Lehrer ein Heuchler?*

Das Schiff des Sorites

8

Die Athener waren ausgezeichnete Schiffsbauer. Ihr Stolz war ein ganz besonderes Schlachtschiff mit verstärktem Bug, das feindliche Schiffe rammen konnte und das sie »Donnerbug« nannten. Man sagte, dieses Schiff sei von den Göttern gesegnet und daher unsinkbar und unbesiegbar.

Nach vielen siegreichen Seegefechten musste »Donnerbug« im Hafen überholt werden. Die Reparaturen waren so umfangreich, dass die Hälfte der Balken und Planken durch neue ersetzt wurden. Weil das Schiff so ungemein hohes Ansehen besaß, hoben die Bürger der Stadt die ausrangierten Balken und die alten, rostigen Nägel auf, um daraus eines Tages ein Denkmal zu bauen.

Im folgenden Jahr wurde »Donnerbug« noch häufiger eingesetzt, sodass im nächsten Winter noch einmal ein Drittel der Planken ausgewechselt werden musste, und zwar der ausschließlich alten, da die neuen robuster erschienen. Bei den nächsten Fahrten zeigte sich, dass die alten Balken den Belastungen nicht so gut standhielten wie die neuen. Sorites, der Kapitän des Schiffs, befahl deshalb die Rückkehr in den heimischen Hafen und ordnete an, dass auch die übrigen Balken und Planken durch neue ersetzt wurden. Außerdem ließ er neue Segel anbringen und große Teile der Ausrüstung erneuern, damit das Schiff bei der jährlichen Parade einen besonders guten Eindruck machte. Auch dieses Mal wurden die ausgebauten Teile sorgfältig aufbewahrt.

Jetzt geschah aber etwas Außergewöhnliches. Während »Donnerbug« in den Kampf gegen feindliche Schiffe zog, bauten die braven Hafenarbeiter aus den alten Balken das Schiff nach. Natürlich nicht als Schlachtschiff, denn dafür waren einzelne Teilstücke zu stark beschädigt, sondern als Skulptur, die sie weithin sichtbar am Rand des Hafenbeckens aufstellten.

Als »Donnerbug« wieder in den Hafen einlief, war es in einem erbärmlichen Zustand. Im Seegefecht hatte es mehrfach gegnerische Schiffe verfehlt oder nur schwach beschädigt. Bei einem Rammstoß war ein Stück des berühmten Bugs abgebrochen, während das Feindschiff praktisch völlig intakt geblieben war.

Als die ausgelaugte Crew den Hafen erreichte, begann sie zu murren und auf etwas zu deuten. Dort war ein weiteres Boot mit verstärktem Bug ausgestellt. Tatsächlich schien der einzige Unterschied darin zu bestehen, dass an dem aufgebockten Schiff ein Schild befestigt war, das die Öffentlichkeit zum Besuch der »echten Donnerbug« einlud.

»Ihr Dummköpfe!«, rief Sorites den Athenern zu. »Jetzt, da ihr dieses Schiff gebaut habt, ist unser Boot nicht mehr die ›Donnerbug‹. Das einzige Schiff, das unter dem Schutz der Götter steht, ist dieser Haufen Müll, der hier sinnlos aufgebaut wurde!«

Die Bürger behaupteten jedoch, dass dies nicht sein könne. Schließlich hatte es nach dem ersten Umbau keine Diskussion darüber gegeben, ob das Schiff des Kapitäns noch die echte »Donnerbug« sei, und auch nach dem zweiten nicht. Die dritte Reparatur war nicht sehr umfangreich gewesen und konnte die Echtheit des Schiffs erst recht nicht verändern. Wollte der Kapitän wirklich behaupten, dass das Schiff nun, da der letzte Originalnagel herausgezogen worden war, plötzlich nicht mehr »echt« sei? Man könne höchstens behaupten, dass sie eine zweite »Original-Donnerbug« gebaut hatten. Im Übrigen sei die echte »Donnerbug« kein reales Schiff, sondern vielmehr eine *Idee*, die Vorstellung eines Ingenieurs. Sorites hielt dies für absurd und bestand darauf, dass das ausgestellte Schiff abgerissen, das Holz verbrannt und die Nägel eingeschmolzen werden sollten.

So geschah es dann auch. Aber das schien die Leistungen der »Donnerbug« im Gefecht nicht zu verbessern. Noch viele Jahre später erzählte man sich, dass der Kapitän das einzige griechische Schlachtschiff zerstört hatte, das unter dem Schutz der Götter stand.

Welches der drei Schiffe war tatsächlich die echte »Donnerbug«?

Der Satz

9

Jetzt aber!

Endlich etwas Handfestes. Die Aussage auf der folgenden Seite ist *wahr*!

Die Behauptung auf der vorhergehenden Seite ist *falsch*.

Oder?

Das Problem der Gesellschaft für nutzlose Informationen 10

Die arme Gesellschaft für nutzlose Informationen! Als sie mit Bewerbungen geradezu überschüttet wurde, entschloss man sich, die Eintrittsbedingungen zu verschärfen. Jedes zukünftige Mitglied musste nun eine absolut nutzlose Information einreichen, um aufgenommen zu werden und in den Genuss der Privilegien eines Mitglieds zu kommen. Dazu gehörte der freie Zugang zum Lesesaal der Gesellschaft (und, was für einige noch wichtiger war, der Einlass in das Raucherzimmer). Diese Aufnahmeregel sollte unter allen Umständen befolgt werden. Zwölf Jahre nach Einführung der neuen Regelung sah sich der Präsident der Gesellschaft allerdings mit einer schmerzhaften Wahrheit konfrontiert: In der gesamten Zeit waren keine neuen Mitglieder hinzugekommen. Die Gesellschaft stand vor dem Aus.

Was war passiert?

Sechs Geschichten zur Ethik

Diktatia I

Die Regierung von Diktatia ist nicht sehr beliebt. Um ehrlich zu sein, sie ist sogar ziemlich verhasst. Leider gibt es keine demokratischen Verfahren, mit denen die Bevölkerung ihren Unmut ausdrücken könnte. Deshalb ist im Untergrund eine Widerstandsbewegung entstanden, die immer wieder Anschläge verübt.

Nach einem besonders furchtbaren Attentat, bei dem eine Bombe neben dem Regierungspalast explodiert ist, lässt der Präsident 30 bekannte Mitglieder der Opposition verhaften und stellt ihnen ein Ultimatum. Entweder verraten sie die Namen der Attentäter oder sie werden alle hingerichtet. Er erwartet mindestens zwei Namen.

Im Fernsehen gibt der Präsident bekannt, man habe die Führer der Verschwörung gefasst, versuche aber, vor der Verurteilung ein Geständnis zu erwirken.

Die inhaftierten Oppositionellen bekommen Zeit, um über das Angebot nachzudenken. Es ist alles andere als verlockend. Selbstverständlich ist keiner von ihnen an dem Attentat beteiligt gewesen. Sie wissen nicht einmal, wer es begangen haben könnte. Wenn sie aber keine Namen angeben, sollen alle 30 hingerichtet werden, »um den anderen Oppositionellen eine Lehre zu sein«, wie es der Polizeichef mit grimmigem Lächeln ausgedrückt hatte. Die Drohung ist durchaus ernst zu nehmen, es hat bereits genügend frühere Vorfälle gegeben, bei denen die Regierung ihre Zuverlässigkeit in dieser Hinsicht unter Beweis gestellt hatte.

Schließlich macht einer der Gefangenen einen Vorschlag: Man könnte losen, wer von der Gruppe zugeben soll, die Bombe gelegt zu haben. Die beiden Verlierer würden sich opfern müssen, damit die anderen frei kämen.

Der Vorschlag scheint besser als das Todesurteil für alle. Aber ist er ethisch vertretbar?

12

Für alle, außer für die beiden Unglücklichen, scheint dieser Vorschlag ganz vernünftig zu sein – allerdings nur, bis die nächste Bombe explodiert und die ganze Gruppe erneut verhaftet wird.

Einer der Gefangenen erklärt nun, dass die einzig moralische Entscheidung nur sein kann, sich weiteren Verhandlungen zu verweigern. Sie alle sollten sich auf ihre Unschuld berufen, die Willkür der Regierung anprangern und Ähnliches. Wenn sie alle sterben müssten, so täten sie dies wenigstens ohne Blut an den Händen. Es wäre dagegen die falsche Entscheidung, wieder zwei »Freiwillige« zu wählen oder auszulosen, um vielleicht die eigene Haut zu retten.

Die Gruppe kann sich auf kein Vorgehen einigen und beschließt, demokratisch darüber abzustimmen.

Ist das ethisch vertretbar?

Die lieben Verwandten

13

Professor Quesay erlebte während seiner Feldstudie über eine erst kürzlich entdeckte Gemeinde, die Alloi, eine angenehme Überraschung. Eine Familie hatte ihn zum Abendessen eingeladen, das zur Feier des 70. Geburtstags des Großvaters stattfand. Da dies ein Zeichen von großer Anerkennung war, erklärte der Professor, es sei ihm eine Ehre, daran teilzunehmen.

Der Großvater und seine etwas jüngere Frau waren für den Professor bis dahin die wichtigsten Informanten gewesen und hatten ihm schon viele faszinierende Geschichten über die Alloi erzählt. Die Gemeinde stammte von den alten Griechen ab und hatte Mesopotamien einst verlassen, um sich auf einer kleinen Insel im westlichen Atlantik niederzulassen. Vor allem der greise, aber immer noch ziemlich rüstige Großvater schien besonders begierig, alles zu erzählen, was er wusste.

Das Abendessen dauert sehr lange. Während der zweiten Vorspeise, dem getrocknetem Fisch mit Spargel, erkundigt sich der Professor nach dem noch nicht erschienenen Ehrengast, dem Großvater. Die Familie und die anderen Gäste zeigen sich über die Nachfrage sehr überrascht. Der ehrenwerte Professor wisse doch sicher, dass mit diesem Essen der 70. Geburtstag des Großvaters gefeiert werde? Und er kenne doch die Traditionen der Alloi?

»Jaja, natürlich«, entgegnet Professor Quesay schnell, dem es peinlich ist, so unangenehm aufzufallen. Was taten die Alloi noch gleich zu Ehren ihrer Alten?

In diesem Moment wird der Hauptgang aufgetragen. Es ist eine große, dampfende Schüssel Suppe mit Fleischeinlage. Und neben der Schüssel liegt etwas, das aussieht wie ... die Brille des Großvaters! Jetzt erinnert sich Quesay plötzlich an die Tradition der Alloi. Er hatte sie schon mehrfach in heftigen Diskussionen an der Universität verteidigt. Die Alloi glauben, dass es die Pflicht der Kinder sei, ihre Eltern bei Erreichen des 70. Lebensjahres zu töten. Als Zeichen ihres Respekts essen die Familienmitglieder den Verblichenen!

Professor Quesay fühlt sich plötzlich etwas unwohl, der Appetit ist ihm schlagartig vergangen. Er weiß allerdings, dass er seine Gastgeber zutiefst beleidigt, wenn er sich weigert, an dem Essen teilzunehmen. In den Augen der Alloi würde er den Toten verfluchen und seine Seele daran hindern, in die nächste Welt zu gelangen. Das wäre das schlimmste Vergehen, das die Alloi kennen.

Professor Quesay ist ein großer Anhänger der kulturellen Vielfalt. Seiner Meinung nach sollte jeder die Möglichkeit haben, seinen Glauben auszuüben, solange dadurch nicht die Rechte anderer beschnitten werden. So genannte objektive moralische Werte hält er für nichts anderes als für eine Form des »westlichen Imperialismus«.

Der Mord an Großvater Alloi hat den Professor aufgebracht, kann aber nicht mehr rückgängig gemacht werden. Gibt es einen Grund für ihn, nicht mit dem angemessenen Appetit an dem Mahl teilzunehmen?

Der Hund und der Professor I

Professor Pörpel diktiert seiner Sekretärin gerade einen Brief an die Philosophische Gesellschaft, als sein Blick auf die Uhr fällt. »Ach du Schreck!«, ruft er aus, »jetzt hätte ich beinahe wieder meinen Ethikkurs vergessen. Lassen Sie nur, ich mache damit weiter, wenn ich zurückkomme.«

Er stürmt zur Tür hinaus und über den Hof zu den Seminarräumen. Plötzlich hört er ein leises Wimmern. Es kommt von einem Hund, der in den Teich der Universität gefallen ist und nicht alleine heraus kann. »Keine Angst, mein Kleiner«, sagt der Professor, »ich werde dir helfen.«

Der freundliche Professor watet in den Teich und holt den winselnden Hund heraus. Nachdem er in sein Büro zurückgekehrt ist und sich notdürftig abgetrocknet hat, kommt er natürlich viel zu spät in sein Seminar. 100 verärgerte Studenten erwarten ihn. Professor Pörpel entschuldigt sich und erklärt, was geschehen ist. Er meint, dass dies ein amüsantes Beispiel für angewandte Ethik sei, und fragt die Studenten, ob er sich richtig verhalten habe. Befreiendes Lachen füllt den Saal, alle sind der Meinung, dass es richtig gewesen sei, den Hund zu retten, obwohl er dadurch zu spät gekommen sei.

Als der Professor in der folgenden Woche auf dem Weg zum Seminar ist, bemerkt er, dass der Hund wieder in den Teich gefallen ist und kommt ihm erneut zu Hilfe. Dieses Mal haben die Studenten weniger Verständnis, etwa die Hälfte murrt, man hätte den Hund sich selbst überlassen sollen. Einer bemerkt säuerlich, dass dieses Tier wohl dauernd aus dem Teich gerettet werden müsse.

Als der Professor eine Woche später zu seinem Kurs eilt, liegt der Hund schon wieder im Wasser und versucht verzweifelt, aus dem Teich zu krabbeln. »Oh nein«, denkt sich der Professor, »ich kann nicht noch einmal zu spät kommen!« Er lässt den winselnden Hund zurück, gibt dem Hausmeister Bescheid und begibt sich zu seiner Vorlesung. Wieder erklärt er den Studenten, was passiert ist, und die meisten von ihnen sind der Meinung, dass die Gefahr für den Hund weniger groß sei als die Unannehmlichkeiten, die durch ausgefallene Vorlesungen für sie entstünden. »Genau das ist Utilitarismus«, verkündet der Professor stolz, »darum geht es bei moralischer Entscheidungsfindung.«

Als der Hausmeister jedoch an den Teich kommt, ist der Hund leider schon ertrunken.

Lag ein Fehler in den Überlegungen des Professors und seiner Studenten vor, oder *hat der Hund einfach Pech gehabt*?

Der Hund und der Professor II 15

Während der nächsten Vorlesung steht einer der Studenten auf und verliest ein vorbereitetes Schreiben, in dem der Professor beschuldigt wird, eine grundlegende Pflicht missachtet zu haben: das Leben eines fühlenden Wesens zu retten. Diese Pflicht, so führt der Student aus, sei wichtiger als Zeitpläne und die Bedürfnisse anderer. Der Professor versucht, sich zu rechtfertigen. Wäre er ein hoch qualifizierter Chirurg, der gerade auf dem Weg zu einer Notoperation ist, würde doch niemand von ihm erwarten, dass er in einer ähnlichen Situation anhielte, um einen Hund zu retten. Man sehe also, erklärt er, dass verschiedene Interessen gegeneinander abgewogen werden müssen. Im Übrigen hätte die Klasse schließlich zugestimmt, dass die Gefahr für das Hundeleben es nicht gerechtfertigt hätte, dass 100 Studenten ihre Vorlesung verpassen. Moralische Entscheidungen, beendet der Professor seine Rede, verlangten nun einmal nach einem System, mit dem die verschiedenen Interessen gegeneinander abgewogen werden können.

Die Studenten organisieren in der Folge einen Generalstreik und boykottieren die Ethikvorlesung. Jemand sprüht den Satz »Ethik ist mehr als graue Theorie« an die Wand des Gebäudes.

Hat Professor Pörpel etwas außer Acht gelassen?

16 Das Verlorene Königreich von Marjon I

Das Verlorene Königreichs von Marjon liegt etwa in der Mitte von Nirgendwo. Die Menschen, die dort leben, sind ein einfaches Volk, das alten Traditionen folgt und seinen eigenen Weg geht. Marjon ist ein tropisches Paradies, das seine Bewohner das ganze Jahr über mit Früchten und Gemüse versorgt. Zusätzlich bauen die Marjonier, von denen jeder ein kleines Stück Land besitzt, gerne Brotfrüchte an. Es gibt eigentlich nichts, worüber sich die Marjonier streiten müssten, wenn man mal von Frauen und Geld absieht – und die Marjonier sehen davon ab.

Im Lauf der Zeit haben die Marjonier ein politisches System entwickelt. Einmal im Monat tritt ein Stadtrat zusammen, der alle ihm vorgelegten Probleme zu entscheiden hat. Alle Entscheidungen müssen einstimmig gefällt werden, und solange die Bürger zurückdenken können, hat diese Form der Selbstverwaltung sehr gut funktioniert.

Nur einmal kommt es zu Unstimmigkeiten: Dem Stadtrat des Verlorenen Königreichs wird ein Vorschlag vorgelegt, wonach die gesamte Ernte des Landes gesammelt und dann je nach Bedarf an die Bürger verteilt werden soll. Dieser Vorschlag kommt von einem Marxisten, der die Insel gerade besucht.

Im Stadtrat gibt es kaum Unterstützung für diesen Vorschlag. Warum sollte sich noch jemand die Mühe machen, Brotfrüchte anzubauen, wenn er sie ganz einfach aus einem Gemeinschaftstopf beziehen kann, fragt eines der Ratsmitglieder. »Das bestehende System ist das fairste, das es gibt. Jeder hat alles, was er braucht, und wer mehr haben möchte, muss eben etwas mehr arbeiten. Wir sollten es so lassen, wie es ist.«

Hat das Ratsmitglied recht?

Das Verlorene Königreich von Marjon II

Der Rat stimmt dem Mitglied zu und der Vorschlag wird verworfen. Kurze Zeit später gerät das Königreich jedoch unter Druck. Das Klima verändert sich und ein großer Teil des Ackerlands verdörrt. Erstmals können die Bürger kaum noch genug ernten, um zu überleben. Eine Ausnahme bilden allerdings die zehn Prozent der Einwohner, die das Glück haben, eine eigene Quelle zu besitzen. Ihre Ernte übersteigt ihren Eigenbedarf bei Weitem, deshalb lassen sie die anderen Marjonier für sich arbeiten und bezahlen sie mit Brotfrüchten. Als der marxistische Vorschlag dem Stadtrat ein weiteres Mal vorgelegt wird, kommt es zu einer deutlich hitzigeren Debatte.

Vielen Marjoniern geht es inzwischen nämlich sehr schlecht. Die Kinder mehrerer Familien sind bereits verhungert. Sie verlangen, dass die zur Verfügung stehende Nahrung an alle verteilt wird. Die Marjonier mit eigenen Quellen wollen jedoch, dass die Situation bleibt, wie sie ist, sodass sie mehr Nahrung haben, als sie brauchen, und ein wenig die großen Herren spielen können. Sie behaupten, es wäre selbst dann nicht genug für alle da, wenn man die vorhandene Nahrung aufteile. Außerdem wird das Argument wiederholt, mit dem der Vorschlag schon einmal abgeschmettert wurde: Niemand würde noch auf seinen eigenen Plantagen arbeiten, wenn die Reicheren ihre Ernte nicht behalten könnten.

Der Stadtrat kommt nicht zu einer einstimmigen Entscheidung, also müssen die Marjonier weiter mit den immer härteren Bedingungen fertig werden. Der Vorsitzende des Stadtrats weist jedoch darauf hin, dass es wichtiger sei, das Prinzip aufrecht zu erhalten, nach dem niemand gegen seinen Willen zu etwas gezwungen werden dürfe, als dass einige Marjonier leiden.

Ist der Rat immer noch im Recht?

18 Das Verlorene Königreich und die lästige Mückenplage I

Einige Jahre später dringt Kunde von einem neuen Bewässerungssystem in das Königreich. Indem man die Quellen und die Felder durch Kanäle verbindet, kann das ganze Land wieder fruchtbar gemacht werden. Die armen Bauern sind davon überzeugt, dass der Rat diesem System zustimmen wird, denn schließlich hätte jeder dadurch nur Vorteile.

Manche Marjonier, und nicht nur die Quellenbesitzer, haben sich aber inzwischen an die neuen gesellschaftlichen Verhältnisse gewöhnt und sind gegen die Bewässerung. Daraufhin verlassen die armen Bauern die Versammlung und setzen das neue Bewässerungssystem zwangsweise durch.

Ist dieses Verhalten gerechtfertigt?

Das Verlorene Königreich und die lästige Mückenplage II

Nach diesem Vorfall entschließt sich der Stadtrat für das Prinzip der Mehrheitsentscheidung. Schon ein paar Jahre später denken die Bürger kaum noch an die frühere Regelung einstimmiger Entscheidungen. Die Meinung der Mehrheit scheint durchaus für eine faire Gesetzeslage sorgen zu können.

Mehrere Jahre lang funktioniert das Prinzip zur Zufriedenheit aller. Dann aber kommt es zu einer tödlichen Epidemie, die in direktem Zusammenhang mit den lebenswichtigen Wasserkanälen steht. Die Kanalufer haben sich als ausgezeichnetes Brutgebiet für Sumpfmücken erwiesen, die sich über die ganze Insel ausgebreitet haben.

Der Druide des Königreichs, ein der Medizin kundiger, weiser Mann, prophezeit, dass zwei Drittel der Bevölkerung an der Krankheit sterben werden, wenn man nicht sofort Gegenmaßnahmen ergreift. Der Rest ist gegen die Krankheit von Natur aus immun. Der Druide schlägt vor, dass jeder Einwohner die Blätter der Tabakpflanze kauen soll, weil diese angeblich vor der Krankheit schütze.

Dieser Vorschlag wird beim Stadtrat eingebracht und steht kurz davor, einstimmig angenommen zu werden, als jemand das Wort ergreift und den Druiden fragt, ob es denn wahr sei, dass nicht jeder die Tabakblätter vertrage und sogar an ihrem Genuss sterben könne?

»Nun ja, schon«, antwortet der Druide. »Ich erwarte, dass etwa ein Zwanzigstel der Bevölkerung an der ›Schutzimpfung‹ sterben wird – aber das sind viel weniger als die zwei Drittel, die durch die Sumpfmücke dahingerafft würden!«

Im Übrigen, fügt der Druide mit ernster Stimme hinzu, ist es essenziell wichtig, dass *jeder einzelne* Bürger immunisiert wird, denn sobald jemand infiziert ist, wird die Krankheit hoch ansteckend, der Virus verändert sich und spricht danach auf die medizinischen Gegenmaßnahmen nicht mehr an.

Sollten gemäß dem Vorschlag des Druiden alle Bürger gezwungen werden, Tabakblätter zu kauen?

Das Verlorene Königreich und die lästige Mückenplage III 20

Noch bevor über den Vorschlag abgestimmt werden kann, meldet sich ein weiterer Marjonier zu Wort: »Warum soll ich mein Leben riskieren und eines dieser albernen Blätter kauen? Ich war bereits erkrankt und habe mich wieder erholt. Lieber stecke ich mich noch einmal an, als dass ich mich dem Risiko der Tabakblätter aussetze – schließlich weiß ich, dass ich wieder gesund werden kann. Niemand kann mich zu der Impfung zwingen!«

Die anderen Marjonier sind jedoch mit dem Rat einer Meinung, dass das Risiko für Mitbürger wie den vorherigen Sprecher zwar vorhanden, aber klein sei, und dass im Übrigen ein wirksamer Schutz für das Königreich nur durch die konsequente Impfung aller Bürger gegeben sein könne. Das Immunisierungsprogramm wird mit großer Mehrheit angenommen.

Da die Marjonier nicht wissen, ob sie der Epidemie zum Opfer fallen könnten, scheint die Zwangsimpfung mit Tabakblättern eine akzeptable Idee zu sein. Aber ist die Durchführung wirklich fair und demokratisch oder *unfair und despotisch*?

Die neue demokratische Regierung des früheren Diktatia sorgt sich um die Gesundheit der Nation. Etwa 20 Prozent der Bevölkerung ernähren sich offenbar falsch und leiden an Übergewicht. Nach Angaben der Gesundheitsministerin Immerfit sterben im Zuge dessen 100 000 Bürger pro Jahr, die meisten davon an Herzkrankheiten.

Das Kabinett zeigt sich alarmiert. »Es ist an der Zeit, die Schokoriegel wegzulegen und die Bosse der Lebensmittelindustrie da zu treffen, wo es ihnen am meisten weh tut – im Magen«, wettert der Sportminister zustimmend, übrigens ein ehemaliger Boxer.

Die Gesundheitsministerin legt ihr Sofortprogramm vor. Es beinhaltet drei Maßnahmen:

1. Eine Informationskampagne soll gestartet werden, um auf die Gefahren falscher Ernährung hinzuweisen. In Fernsehspots sollen Leute gezeigt werden, die bei geselligen Anlässen fettreiche Nahrungsmittel zu sich nehmen. Darauf folgen Bilder von sehr krank aussehenden Patienten im Krankenhaus.
2. In den Schulen soll Informationsmaterial verteilt werden, dass zeigt, wie zu viele Süßigkeiten und zu viel Schokolade zu Zuckerkrankheit und Fettleibigkeit führen können. Nach dem Vorbild erfolgreicher Anti-Drogen-Kampagnen sollen bekannte Sänger und Schauspieler mitwirken. Diese sollen den Kindern raten, Süßigkeiten abzulehnen, die ihnen zum Beispiel von den Großeltern angeboten werden.
3. Auf alle ungesunden Lebensmittel wird eine hohe Steuer erhoben, um die Konsumenten vom Kauf abzuschrecken.

Jetzt erhebt sich allerdings der Minderheitenbeauftragte und widerspricht (wie er es meistens tut): »Herzkrankheiten sind natürlich sehr ernst zu nehmen. Ein Zusammenhang zwischen dem Konsum von Süßigkeiten und den Erkrankungen ist jedoch nicht eindeutig nachgewiesen. Und selbst wenn dies der Fall wäre, muss doch die individuelle Freiheit der Wahl gewährleistet werden.«

Wir haben es hier offensichtlich mit einer ernsten und um-strittenen Frage zu tun. *Welche Teile des Programms sollte das Kabinett aber unterstützen?*

Das Problem wird weiter diskutiert ...

Der Großteil des Kabinetts ist der Ansicht, Frau Immerfit besteuere einfach den Spaß am Leben und lehnt den Vorschlag zunächst ab. Nach der Vorführung der Fernsehspots und der Vorlage wissenschaftlicher Studien gewinnt man jedoch die Überzeugung, dass vielen Bürgern das Leben gerettet werden könnte, wenn man auf ihre Ernährungsgewohnheiten größeren Einfluss nähme. Für die Kanzlerin scheint insbesondere ausschlaggebend, dass das Finanzministerium neue Steuereinkünfte zu erwarten hätte. Das Kabinett stimmt dem Sofortprogramm daher einstimmig und in vollem Umfang zu.

Nach einiger Zeit zeigt sich jedoch, dass die Maßnahmen nicht viel bewirken. Die Aufklärungskampagne hat nur dazu geführt, dass Süßigkeiten für Kinder jetzt erst recht begehrenswert sind, während die Erwachsenen sich im wahrsten Sinne des Wortes bevormundet fühlen. Die Zahl der übergewichtigen Bürger nimmt indes weiter zu.

Nach ihrer Wiederwahl tritt Frau Immerfit gestärkt vor das Kabinett und schlägt vor, die Maßnahmen zu verschärfen. Die Ziele der Kampagne werden im Parteiprogramm verankert und sollen nun per Gesetz verwirklicht werden.

1. Süßigkeiten und Fastfood (es wird eine genaue Liste erstellt) dürfen in der Öffentlichkeit nicht mehr verzehrt werden.
2. Die auf der »Schwarzen Liste« aufgeführten Produkte werden nur noch an Erwachsene verkauft und außerhalb der Reichweite von Kindern in den oberen Supermarktregalen angeboten. Auf den Packungen wird vor den Risiken gewarnt: DIESES PRODUKT

ENTHÄLT ZUCKER UND FETTE, DIE HERZKRANKHEI-
TEN VERURSACHEN KÖNNEN.

3. Jeder Übergewichtige, der eine Krankheit bekommt, die durch
   falsche Ernährung verursacht werden kann, muss die Behand-
   lungskosten in vollem Umfang selbst übernehmen. Die Behand-
   lung kann ihm sogar vollständig verwehrt werden.

»Nur so können wir der Bedrohung Herr werden, die unsere Nation
und die Zukunft unserer Kinder gefährdet«, erklärt Frau Immerfit.

Geht sie hier vielleicht doch zu weit?

23

Das Netz zieht sich zu ...

Frau Immerfit selbst glaubt sich im Recht. Da ihre Vorschläge unterstützt werden und die Zahl der Fettleibigen etwas zurückzugehen
scheint, tritt sie ein weiteres Mal vor das Kabinett. Wie alle anstän-
digen Leute fühle auch sie sich durch die Zuckerabhängigen ge-
stört, die heimlich Schokolade und Chips auf der Toilette essen.

Die Gesundheitsministerin verlangt nun ein umfassendes Ver-
kaufsverbot für Süßigkeiten. Jegliche Herstellung – auch privat –
sowie der Verkauf der verbotenen Produkte soll unter Strafe gestellt
werden.

Dazu zählen:
Bonbons und Schokolade;
Kuchen und Torten;
Pizza, Pommes frites und Kekse.

Das Kabinett weigert sich zuzustimmen. Man ist besorgt, sich
durch solch unpopuläre Maßnahmen den Unmut der vielen übergewichtigen Wähler zuzuziehen. »Schließlich nehmen andere doch
dadurch keinen Schaden«, murmelt jemand. Frau Immerfit ist em-
pört: »Vielleicht würden Sie ja auch Marihuana gerne legalisie-
ren?«, zischt sie.

**Frau Immerfit ist nicht sehr beliebt. Aber gibt ihr die Logik
nicht Recht?**

Drei Zahlenteufel

Die verbogene Münze

Matthias und Lutz lieben das Glücksspiel. Leider verlieren sie meistens. Schließlich schlägt Matthias vor, dass die beiden nur gegeneinander wetten sollten – so würde zumindest einer von ihnen gewinnen. Also beschließen sie, eine Münze zu werfen, der Gewinner bekommt einen Euro.

Matthias wirft als Erster, Lutz entscheidet sich für »Zahl«. Die Münze landet mit der Zahl nach unten, Matthias gewinnt. Lutz bleibt bei »Zahl«, doch bei den nächsten 20 Würfen liegt immer wieder der »Kopf« oben. Lutz vermutet, dass die Münze verbogen ist, und wechselt zu »Kopf«. Schon beim nächsten Wurf gewinnt »Zahl«. »Natürlich!«, ruft Lutz aus. Nachdem er aber 39-mal nacheinander auf »Kopf« gewettet und verloren hat, ist seine Laune eisig. Also wechselt er wieder zu »Zahl«, doch die nächsten 20 Mal kommt nun wieder »Kopf«.

»Du hast ganz schön Pech heute«, sagt Matthias und steckt einen weiteren 20-Euro-Schein ein. »Die Wahrscheinlichkeit, dass so etwas passiert, ist doch winzig klein«, ärgert sich Lutz.

Matthias behauptet jedoch, dass diese Abfolge genauso wahrscheinlich oder unwahrscheinlich ist wie jede andere. Außerdem entspreche das Gesamtergebnis genau den Erwartungen, denn schließlich seien »Kopf« und »Zahl« unterm Strich gleich oft gefallen.

Wer hat Recht?

25 Leben auf Sirius

Im Rahmen ihres wöchentlichen Treffens erzählt der Dozent Hugo Wellie einer Gruppe von Wissenschaftlern von seiner Entdeckung, dass es auf einem Planeten des hellen Sterns Sirius, der auch als Hundestern bezeichnet wird, mehrere Hunderassen gibt.

»Wie soll denn das möglich sein?«, entfährt es Sheila. Genau darauf hat Hugo gewartet. Er liebt Diskussionen, in denen er sich benehmen kann wie es seiner Meinung nach Sokrates getan hätte: Er stellt rhetorische Fragen.

»Nun, Sheila, gibt es Leben auf dem Mars oder auf den Jupitermonden?«

»Na ja, nach Ansicht der NASA ist das möglich«, entgegnet Sheila.

»Aber man spricht dort nur über Bakterien. Was ist mit Kühen, Schafen, Pferden, Schmetterlingen oder sogar Pandabären?«, fragt Hugo.

»Das mutet nun doch eher unwahrscheinlich an.«

»Als Wissenschaftler muss man vielleicht sogar noch weiter gehen«, stimmt Hugo zu. »Die Chance, dass es Hunde auf dem Mars gibt, ist gleich null.« Jetzt kommt Dr. Wellie aber erst richtig in Fahrt: »Wenn die Chance, Tiere auf dem Mars zu finden, so klein ist, dass man sie vernachlässigen kann, dann ist die Chance, sie auf einem der Planeten von Sirius zu finden, so groß, dass man von an Sicherheit grenzender Wahrscheinlichkeit davon ausgehen kann. Ich frage mich, warum alle so tun, als wäre das keine bekannte Tatsache.«

Hugo erklärt seine Behauptung. Nach dem Prinzip des unzureichenden Grundes kann eine Frage, für deren exakte Beantwortung uns das notwendige Hintergrundwissen fehlt, nur mit 50-prozentiger Sicherheit richtig beantwortet werden, etwa eine Frage wie

»Gibt es Giraffen auf Alpha Centauri?« Die Chancen stehen hier 1 : 1. Man kann weder ihre Existenz noch das Gegenteil beweisen.

Die Zuhörer zeigen sich irritiert, erkennen die Argumentation aber an. Hugo fährt fort: »Liegen die Chancen, zum Beispiel Pudel auf einem Siriusplaneten zu finden, also bei 50 Prozent, höher oder niedriger?«

»Nun, ich schätze, man kann mit 50-prozentiger Wahrscheinlichkeit davon ausgehen, solange es keine schlüssigen astronomischen Beweise dafür gibt, dass Leben dort unmöglich ist.«

»Die gibt es aber nicht«, sagt Hugo. »Und was ist mit Dalmatinern und Pekinesen? Auch für sie gilt doch die 50-prozentige Wahrscheinlichkeit?«

»Ja ja, schon gut«, antwortet Sheila. »Na und?«

»Also«, entgegnet Hugo. »Es ist so: Es gibt über 500 verschiedene Hunderassen. Die Wahrscheinlichkeit, dass es keine dieser Rassen auf Sirius gibt, ist genauso groß, wie wenn eine Münze 500-mal hintereinander auf derselben Seite landen würde. Man kann aber als sicher ansehen, dass sie wenigstens einmal auf der anderen Seite landet – und genauso sicher ist die Existenz von Hunden auf Sirius!«

»Komm' schon, Sheila«, gähnt Franziska. »Lass uns einen Kaffee trinken.« Die beiden gehen kopfschüttelnd davon.

Ist Hugo hier tatsächlich auf einen erstaunlichen Hund gekommen, wie er selbst glaubt – *oder irrt der Wissenschaftler*?

Das unendliche Hotel

Das *Hotel am Rande des Universums* besitzt eine unendliche Kapazität. Eigentümer ist die Firma von Zake Busybod, die für jeden neuen Besucher zwei zusätzliche Räume anbaut. Das Hotel ist bei den Gästen sehr beliebt, weil man immer sicher sein kann, ein Zimmer zu bekommen.

Zakes Geschäftspartner Harry wittert plötzlich seine Chance. Er gibt seine Stellung bei Zake auf und baut sein eigenes *Hotel Unendlichkeit* nach denselben Vorgaben wie seine frühere Chefin. Aber natürlich soll sein Hotel besser sein, sonst gäbe es ja keinen Grund für die Gäste, das Hotel zu wechseln. Harry verspricht, dass sein Hotel noch größer sein wird.

Wie kann man aber mehr als unendlich viele Zimmer bauen?

»Hmmm«, überlegt Harrys Manager. »Das Einfachste wäre, wir teilten alle Zimmer in der Mitte, sodass jeweils zwei kleinere Zimmer entstehen. Schließlich sind die Zimmer alle relativ groß, wie es sich für ein *Hotel Unendlichkeit* gehört. Die Bewohner der Zimmer 1 und 2 ziehen also in die Zimmer 1a und 2a, sodass die Zimmer 1b und 2b für spätere Gäste frei bleiben.«

Diese Idee gefällt Harry ausnehmend gut, er wirbt daraufhin mit dem Spruch, sein Hotel besäße doppelt so viele Räume wie das *Hotel am Rande des Universums*.

Als Zake davon hört, verschluckt sie sich beinahe an ihren Cornflakes. »Na warte! Mehr als unendlich viele Zimmer!« Zake zeigt Harry wegen unlauteren Wettbewerbs an und erklärt, es sei grundsätzlich unmöglich, mehr als unendlich viel von irgendetwas zu besitzen.

Wer hat Recht? Wie muss die Entscheidung der Wettbewerbsaufsicht lauten?

Zenons Paradoxien

Achilles und die Schildkröte

Achilles war bei den Griechen als schneller Läufer bekannt. Bei einem Rennen zwischen Achilles und einer Schildkröte fällt daher die Wette auf einen Sieger Achilles nicht schwer, selbst wenn der Schildkröte ein kleiner Vorsprung eingeräumt wird. Es gibt jedoch ein paar Probleme:

1. Bevor Achilles die Schildkröte überholen kann, muss er sie einholen.
2. Egal, wie schnell Achilles läuft – und er läuft sehr schnell –, er braucht eine gewisse Zeit, um zu der Stelle zu gelangen, an der die Schildkröte gestartet ist.
3. Egal, wie langsam die Schildkröte ist – und sie ist sehr langsam –, sie wird in dieser Zeit wieder ein Stück Weg vorangekommen sein.
4. Das trifft natürlich auch für das nächste Stück der Rennstrecke zu. Achilles rennt auf den Punkt zu, den die Schildkröte erreicht hat, während er den Vorsprung aufholte; gleichzeitig bewegt sich die Schildkröte weiter. Dieses Mal nur ein noch kürzeres Stück, aber immerhin. Achilles kommt also immer näher, kann die Schildkröte aber nie ganz einholen.

Bei seiner Schnelligkeit wird Achilles sicherlich sehr bald ganz nah an die Schildkröte herankommen. Warum kann er aber, logisch gesehen, das Reptil auf der Nebenbahn nicht überholen?

28   Verschollen im Weltraum

Bekanntlich ist die Erde ein Planet im Weltraum. Wir wissen sogar ziemlich genau, wo im Weltall sie sich befindet: Sie befindet sich im Sonnensystem, das wiederum in einem Seitenarm der Milchstraße (das helle Band, das in klaren Nächten am Himmel zu sehen ist) liegt. Die Milchstraße selbst ist eine von zahllosen Galaxien im Universum.

Aber worin befindet sich das Universum?

Aufforderung zum Tanz

Die *Schwarzwaldmädels*
(dieses Quartett tanzt links herum)

Die *Kasseler Katzen*
(stehen still)

Die *Hochschul-Hippies*
(tanzen nach rechts)

Das Ende einer Tanzsequenz:

Auf den ersten Blick scheint hier alles klar zu sein. Warum glaubt Zenon aber, dass die tanzenden Mädchen dennoch mit einem interessanten metaphysischen Problem konfrontiert werden?

Zwischenruf des Herausgebers:
Hilfe! Bitte keine Paradoxien mehr!

Vermutlich möchten Sie gleich das nächste Rätsel angehen. Dafür müssen Sie die nächste Seite aber zuerst zur Hälfte umblättern. Zuvor müssen Sie sie allerdings erst zu einem Viertel umblättern undsoweiter. Tatsächlich lässt sich die Strecke, die die Seite zurücklegt, beliebig oft halbieren. Leider können Sie nicht einmal Hilfe holen, denn um zur Tür zu gelangen, müssen Sie ebenfalls erst die halbe Strecke überwinden beziehungsweise deren Hälfte undsoweiter undsofort. Wie Zenon schon vor langer Zeit angemerkt hat, kann man eine unbegrenzte Anzahl von Streckenbruchteilen leider nicht in einem begrenzten Zeitraum zurücklegen. Es ist unmöglich, in einem begrenzten Zeitraum bis Unendlich zu zählen, dabei spielt es keine Rolle, wie schnell man zählt. Also ist es eigentlich unmöglich, überhaupt irgendetwas zu tun – das ist logisch.

Und jetzt versuchen Sie einmal, weiterzublättern.

Eine Frage der Werte

Original und Fälschung

Graf von Hochnase hat kürzlich ein neues Bild des berühmten niederländischen Malers Van Dryver erworben. Es zeigt einige Tulpen in einer Vase. »Es ist wirklich fantastisch«, erzählt von Hochnase jedem, der es hören will. »Der Strich, die Farben, es ist ganz offensichtlich ein Meisterwerk!« Eines Tages erhält er Besuch von dem bekannten Kunstkritiker Maurice Dane.

»Oha«, lässt dieser sich vernehmen. »Mir scheint, Sie haben sich ein Kuckucksei eingehandelt. Schauen Sie sich diesen charakteristischen Duktus und die Farben an. Ganz offensichtlich hat dieses Bild nicht Van Dryver, sondern sein Schüler Van Rouge gemalt.«

»Wer?«, ruft von Hochnase ungläubig aus. »Wer ist denn das?« Dane erklärt, dass Van Dryver seinen Schüler Van Rouge häufig dazu anhielt, seine Bilder zu Übungszwecken abzumalen, um die Kopien dann weniger bedeutenden Interessenten zu verkaufen.

»Ihr Bild hier ist wahrscheinlich weniger wert als sein Rahmen«, lautet Danes Fazit. Der arme Graf ist nun ganz beschämt und versteckt das peinliche Bild auf dem Dachboden. Es ist einfach zu gewöhnlich und völlig uninteressant. Der Graf kann gar nicht glauben, dass es ihm anfangs gefallen hat. Sechs Jahre später liest er zufällig in der Kulturbeilage seiner Zeitung, dass Kunstexperten zu dem Ergebnis gekommen sind, alle großen Van Dryvers seien tatsächlich Bilder seines Schülers Van Rouge, der den etwas angegrauten Ideen seines Lehrers wieder neues Leben eingehaucht hatte. Der Artikel endet mit den Worten: »Endlich wird Van Rouges Werk gebührend gewürdigt – er ist der wahre Meister der Renaissance.«

Was soll Graf von Hochnase davon halten? Kann er sich zu einem Bild bekennen, dessen Wert im höchsten Maße schwankt? Oder war das Bild in Wirklichkeit von Anfang an ein großartiges Kunstwerk?

Sandra hält nicht viel von Philosophie. Der Wert einer Sache drückt sich ihrer Meinung nach grundsätzlich in Euro und Cent aus. Deshalb macht sie sich immer ein wenig über ihren Freund Fred lustig, der ab und zu Briefmarken einkauft, ohne sie zu verschicken. Stattdessen sammelt er sie in einem Album. Unter anderem besitzt er auch einen Satz von zwanzig 50-Cent-Briefmarken, da ihm das darauf abgebildete Motiv besonders gut gefällt – eine blaue Giraffe, die rote Blätter frisst. Sandra meint, es müsse ihm ja ziemlich gut gehen, wenn er genug Geld hat, um es für Briefmarken zu verschwenden, die er gar nicht benutzt. Fred entgegnet, dass er die Briefmarken ja jederzeit verwenden könne, wenn es nötig sei. Das Sammeln käme also dem Sparen von Geld gleich. Trotzdem kann Fred sein schlechtes Gewissen nicht ganz unterdrücken.

Ein Jahr später blättert Fred in einem Briefmarkenkatalog. Es stellt sich heraus, dass jede seiner Marken aufgrund einer Fehlfarbe 100 Euro wert ist. Triumphierend erzählt er Sandra von seinem 2000-Euro-Satz.

Die Briefmarken sind also tatsächlich 2000 Euro wert. Jeder Sammler würde mindestens diesen Preis bezahlen.

Aber woher kommt die plötzliche Wertsteigerung?

Fred sagt, seine Marken hätten Seltenheitswert, da sie bei vielen Sammlern begehrt sind. Sandra hält diese Erklärung für ungenügend. Damit wäre der Wert einer Sache ja davon abhängig, was jemand dafür zu zahlen bereit sei. Das aber hinge wiederum möglicherweise davon ab, wie hoch nach dessen Meinung jemand anderes den Wert der Sache einschätze. Wenn also jemand wie sie in der Hoffnung auf Wertsteigerung die Briefmarken kaufen würde, obwohl sie ihr nicht gefallen, und sich *irrt*, dann hat sie weder den ihrer Meinung nach angemessenen Wert bezahlt noch den allgemein angenommenen.

Würde das nicht bedeuten, dass der Wert einer Briefmarke unabhängig vom allgemeinen Schätzwert ist?

Fred kratzt sich nachdenklich am Kopf. »Hmmm, ich verstehe«, sagt er. »Vielleicht hängt der Wert einer Sache nicht davon ab, wie hoch die Leute ihn schätzen, sondern davon, was wir glauben, wie hoch sie ihn schätzen!«

»Du meinst, was wir glauben, was andere Leute glauben, was wieder andere Leute glauben, wie hoch der Wert einzuschätzen ist?«, wiederholt Sandra ungläubig. »Das ist doch albern! Da beißt sich die Katze in den Schwanz! Wenn der Wert einer Sache davon abhängt, was Leute glauben, dass es andere Leute glauben, kommt dies absoluter Willkür gleich. Jeder Gemüsehändler könnte ein Pfund Kartoffeln statt für 50 Cent dann auch für 5 Euro verkaufen und damit viel Geld verdienen.

Fred überlegt. »Vermutlich könnte er das tatsächlich, solange es die anderen auch tun.«

Kann das wirklich sein?

Sandra erklärt, dass niemand Kartoffeln zu einem derartig hohen Preis kaufen würde, und selbst wenn die Gemüsehändler ihre Preise gleichzeitig anheben würden, gäbe es bestimmt wenigstens einen, der diese Preise unterböte. Schließlich gibt es keinen Mangel an Kartoffeln, und der Anbau ist äußerst billig. Somit sei bewiesen, erläutert Sandra stolz, dass der Preis von Kartoffeln von rationalen, vernünftigen Überlegungen abhängt. Im Übrigen, fügt sie genießerisch hinzu, würden die hohen Preise dazu führen, dass es zu viele Kartoffeln gäbe, was wiederum den Preis fallen ließe. Statt 50 Cent müsste ein Händler dann froh sein, wenigstens 5 Cent für seine Kartoffeln zu bekommen.

Jetzt aber grinst Fred breit: »Wenn das so ist, wird der Kartoffelpreis aber auch ziemlich willkürlich festgesetzt, oder?«

Paradoxe Bilderrätsel

Wenn unser Geist auch ab und zu verwirrt werden kann (etwa durch Philosophen), können wir uns auf unsere fünf Sinne verlassen, beziehungsweise darauf, wie unser Gehirn Sinneswahrnehmungen interpretiert. Aber sehen wir zuerst etwas und versuchen dann, einen Sinn darin zu finden, oder benötigen wir eine klare visuelle Struktur, bevor wir überhaupt einen Sinn in dem Gesehenen entdecken können?

Würfel und Dreieck

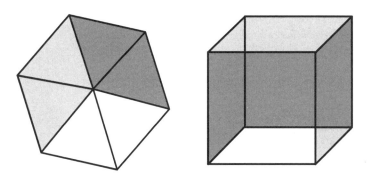

Welcher Quader sieht realistischer aus? Und welches Dreieck?

Fragt sich nur: welches »*Dreieck*«?

Was sehen Sie?

Wo kommt *das* denn her?

Bei einem bekannten Experiment wurden die Versuchskandidaten gebeten, durch mehrere (moralisch einwandfreie) Schlüssellöcher zu schauen. Sie bekamen Folgendes zu sehen:

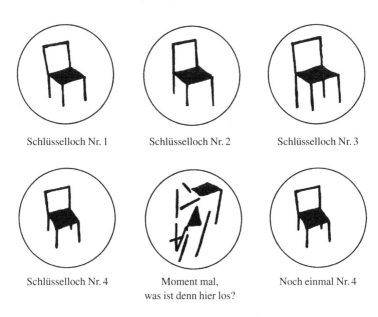

Schlüsselloch Nr. 1   Schlüsselloch Nr. 2   Schlüsselloch Nr. 3

Schlüsselloch Nr. 4   Moment mal,   Noch einmal Nr. 4
                             was ist denn hier los?

nach F. P. Kilpatrick

Was wird hier denn gespielt?

Das Band mit dem Dreh

39

Nehmen Sie einen Streifen Papier zur Hand und drehen Sie ein Ende um 180°. Danach kleben Sie die Enden zusammen, sodass ein verdrehtes Band entsteht.

Der Streifen Papier hatte zwei Seiten (die Dicke des Papiers bleibt hier unberücksichtigt). Wie viele Seiten hat das verdrehte Band? *(Sie können zur Verdeutlichung auch eine Seite grün und die andere schwarz einfärben.)*

Schauen Sie sich dieses Muster ein paar Sekunden an.

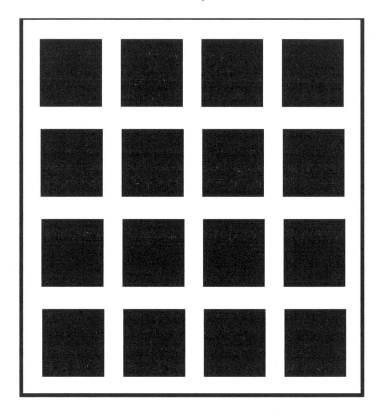

Sind da nicht zwischen den schwarzen Quadraten schwache graue Flecken zu sehen? Oder werden Sie von Ihren Augen getäuscht? *(Und wenn ja, was beweist das?)*

Die bunte Scheibe

Wenn ein schwarz-weißer Gegenstand umgedreht wird – erscheint er dann plötzlich farbig?

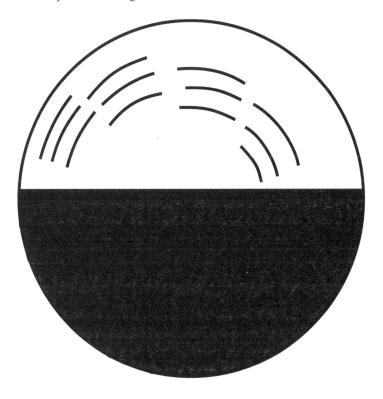

Etwa ein Gegenstand wie dieser?
(Kopieren, ausschneiden und drehen!)

Zeitprobleme

Die Zeitmaschine

Dr. Wenn hat eine Zeitmaschine erfunden. Er lädt seine Assistentin Lucy ein hineinzusteigen und erklärt, dass sie sich in der Zukunft befinden wird, wenn sie die Maschine wieder verlässt.

»Tatsächlich? Wie aufregend«, entgegnet Lucy. »Kann ich mir ein Datum aussuchen?«

Dr. Wenn lächelt: »Natürlich. Jeder Zeitpunkt zwischen jetzt und, sagen wir, nächsten Dienstag ist möglich.«

Lucy ist ein wenig enttäuscht. Sie fragt, ob man denn nicht auch ins nächste Jahrhundert reisen könne. Dr. Wenn erklärt, dass es leider noch ein paar Probleme gäbe, nicht zuletzt hätte er noch keine Möglichkeit gefunden, aus der Zukunft zurückzureisen. Außerdem können Personen in der Maschine nur kurze Zeitspannen überwinden. Um eine Woche in die Zukunft zu reisen, benötige man in der Maschine ganze sieben Tage. Lucy steigt unwirsch wieder aus der Zeitmaschine. »Dr. Wenn«, sagt sie. »Man kann dieses Ding doch nicht als Zeitmaschine bezeichnen. Ich könnte mich ja genauso gut eine Woche im Schrank einschließen.«

Dr. Wenn ist beleidigt. Seine Assistentin übersieht nach seiner Meinung, dass man in der Maschine sehr wohl in die Zukunft gelangt, auch wenn die Zeit in ihr nicht schneller vergeht als außerhalb.

Wenn das keine Zeitmaschine ist, was dann, fragt sich Dr. Wenn.

43 Und die Zeit steht still

Dr. Wenn beschließt, seiner Assistentin seine neueste Erfindung zu zeigen. Bisher hat er das Gerät, das die Zeit anhalten kann, unter Verschluss gehalten, da er um die globale Sicherheit fürchtete, falls das Gerät in falsche Hände fällt. Der Benutzer kann einprogrammieren, wie lange die Zeit für ihn und das ganze Universum still stehen soll.

»Das Raum-Zeit-Kontinuum wird künstlich zum Stillstand gebracht«, erklärt der Doktor und schnallt Lucy auf einer Art Zahnarztstuhl fest. »Wie lange möchtest du die Zeit gerne stoppen?«

»Fangen wir mit einem Jahr an«, lächelt Lucy spitzbübisch und stellt die Instrumente auf 1000 Jahre ein.

»Nein, nicht!«, ruft der Doktor. »Das Gerät wurde noch nicht getestet!« Doch es ist schon zu spät, die Maschine brummt, Lucy wird furchtbar durchgeschüttelt, grüner Rauch steigt auf. Nachdem der Rauch sich verzogen hat, erkennt man auf dem Armaturenbrett, dass das Universum nun ein ganzes Zeitalter zu spät dran ist. Abgesehen davon hat sich jedoch nichts verändert. Das Zimmer, der Doktor, alles sieht so aus wie immer. Er freut sich und klatscht in die Hände.

»Ich muss schon sagen, das war wirklich beeindruckend. Ich glaube, meine kleine Maschine hat das ganze Universum angehalten.«

»Tja...«, entgegnet Lucy zweifelnd. »Aber wofür soll das gut sein, wenn man keinen Unterschied erkennt? So wie ich das sehe, ist dieses Gerät auch nicht besser als das andere.«

Jetzt ist Dr. Wenn wirklich verärgert. »Die Konsequenzen sind natürlich gewaltig. Wie du weißt, vergeht die Zeit nicht gleichmäßig. Experimente mit Atomuhren in Flugzeugen haben das bewiesen. Mit diesem Gerät könnte man die Zeit anhalten und dann meine Zeitmaschine benutzen. Wer weiß, was dann alles möglich sein wird!«

Lucy ist noch nicht überzeugt, aber klug genug, um nicht zu streiten. »Könnte man denn auch in die Vergangenheit reisen?«

»Oh«, strahlt der Doktor. »Eine sehr gute Frage. Die Antwort ist kompliziert, aber kurz gesagt, die Vergangenheit existiert nicht, also ist es schwierig, dorthin zu reisen.«

»Existiert nicht? Natürlich existiert sie.« Lucy ist entrüstet. »Vielleicht existiert die Zukunft nicht, aber die Vergangenheit auf jeden Fall.«

Dr. Wenn bleibt geduldig. Die Vergangenheit ist lediglich eine Erinnerung an vergangene Gegenwarten. Die Gegenwart ist jedoch nur ein Bruchteil einer Sekunde und unermesslich klein. Selbst wenn man viele unermesslich kurze Momente zusammenzählt, erhält man nicht sehr viel. Das einzig wirklich Existierende ist nach Dr. Wenns Überzeugung die Zukunft, und selbst sie hört in dem Moment auf zu existieren, in dem man sie erreicht.

Lucy hält das für Unsinn. Natürlich existiert die Gegenwart, und die Vergangenheit besteht aus vielen gegenwärtigen Momenten – aus so vielen, dass sie trotz ihrer Kürze signifikant sind. »Sie würden nicht weit kommen, wenn Sie auf der Bank erklärten, dass Ihr Überziehungskredit von gestern nicht mehr existiert!«, stichelt sie.

Wer hat Recht?

44

Dr. Wenn glaubt sich missverstanden und versucht es noch einmal: »Lucy, glaubst du, dass die Zeit überall mit der gleichen Geschwindigkeit vergeht?«

»Natürlich nicht«, entgegnet sie ungeduldig, »Bekanntlich vergeht die Zeit zum Beispiel in der Nähe von Schwarzen Löchern und in Überschallflugzeugen langsamer.«

»Das heißt, man könnte doch einen Mikrokosmos erschaffen, in dem die Zeit anders vergeht, ohne dass man deshalb die Zeit im ganzen Universum anhält, wie es meine Maschine tut?«

»Natürlich.«

»Wenn alles im Universum außer dir die Zeit in entgegengesetzter Richtung durchlebte – also zum Beispiel jünger wird –, würdest du mir dann zustimmen, dass dies einer Zeitreise gleichkommt?«

»Schon, aber das ist ein sehr großes ›Wenn‹, oder?«

»Überhaupt nicht. Ich habe nämlich bereits einen Mikrokosmos erschaffen, in dem genau dies geschieht.«

Mit einem Seufzer folgt Lucy Dr. Wenn in einen Nebenraum. An der Tür hängt ein Schild mit der Aufschrift: »Achtung! Wurmlöcher und Zeitmaschinen!« In einer Ecke steht ein Behälter mit Wasser.

»Hier«, sagt Dr. Wenn, »das ist Eis. Ich habe es in die Vergangenheit geschickt.«

Der gute Doktor erklärt, dass er das Wasser in eine spezielle Wasserwelt eingesperrt habe, die aus den Wänden des Eimers und der darin enthaltenen Atmosphäre bestehe. Anfangs geschah nicht viel, dann aber gefror das Wasser in einer besonders kalten Nacht. Am nächsten Tag stellte Dr. Wenn fest, dass das Wasser wieder zu schmelzen begann, während er im Labor arbeitete. »Es war wirklich verblüffend. Aus der Perspektive des Wassers in seinem Mikrokosmos gesehen, hat sich offensichtlich entweder die Energiebalance verändert oder die Zeit ist *rückwärts* gelaufen!« Dr. Wenn deutet auf einen alten Kühlschrank und wird immer aufgeregter. »In dieser Maschine kann man den Zeitfluss nach Belieben umkehren. Das Universum ist natürlich viel komplexer, aber in diesem einfachen Mikrokosmos bin ich der Herr der Zeit.«

Dr. Wenn hüstelt verlegen, doch Lucy ist nicht sehr beeindruckt. »Um die Zeit rückwärts laufen zu lassen, gehört schon mehr dazu als die Umkehrung physikalischer Vorgänge.«

Stimmt das? *Oder ist das Eis wirklich rückwärts durch die Zeit gereist?*

Herr Megasoft hat zwei sehr teure Armbanduhren erstanden. Eine davon schenkt er seiner Lebensgefährtin Charlotte. Er versichert ihr, dass beide Uhren auf die Nanosekunde genau synchron einge-stellt seien. Betrieben werden die Atomuhren mit Wasserstoff, sie gelten als die genausten Uhren der Welt.

Da die Uhren ganz neu sind und viel Geld gekostet haben, macht Herr Megasoft sich einen Spaß daraus, jeden Abend, wenn er nach Hause kommt, seine Freundin nach der Uhrzeit zu fragen. Jedes Mal zeigen sich die Uhren in perfektem Einklang. »Genau wie wir«, haucht Charlotte.

Eines Tages muss Herr Megasoft eine weite Reise in den Süden zu einem geschäftlichen Treffen auf sich nehmen. Er kommt jedoch noch am selben Tag zum Abendessen zurück. Zu seinem großen Ärger bemerkt er, dass die Uhren nicht mehr synchron laufen. In nur einem Tag haben sich die Zeitmesser um mehrere Hundertstel Sekunden verschoben! Herr Megasoft ist so zornig, dass er die Uh-ren zum Händler zurückbringt und sein Geld einfordert. Nach aus-führlichen Tests weist der Händler jedoch darauf hin, dass die Uh-ren einwandfrei funktionieren und weigert sich zu zahlen. Herr Megasoft muss dies zähneknirschend akzeptieren.

Ein paar Wochen später, nach einer längeren Auslandsreise, steht er triumphierend erneut im Laden. »Schauen Sie«, ruft er dem Händler zu, »die Uhren gehen wieder falsch!«

Hat Megasoft Anspruch darauf, sein Geld zurückzubekom-men?

Persönliche Probleme

Emilia Z. Gibb hat ein sehr erfolgreiches Kinderbuch geschrieben. Die Geschichte lautet wie folgt:

> Das kleine Schaf Robert ist sehr unglücklich. Kein anderes Schaf auf der ganzen Weide will mit ihm reden oder spielen. Er beklagt sich bei seiner Mutter, die antwortet: »Määh! Du albernes Schaf. Niemand mag dich, weil du etwas Besonderes bist. Verstehst du nicht, du bist hier das schwarze Schaf.«
>
> Aber Robert findet einen Weg aus seinem Dilemma. Er erfährt von einer Herde Aberdeen Alistairs, einer berühmten Schafrasse mit sehr dunklem, drahtigem und lockigem Fell, die oben auf den Hügeln leben soll. Also verlässt er schon bald seine Familie (die so tut, als kenne sie ihn nicht) und macht sich auf den Weg, um die Alistairs zu suchen.
>
> Schließlich findet er sie und wird von ihnen sehr warmherzig aufgenommen, fast wie ein verlorener Sohn. Dort lebt er, wie es in dem Buch heißt, noch heute, wenn er nicht gestorben ist.

Emilia freut sich sehr über die hohen Verkaufszahlen, aber überhaupt nicht über die Kritiker. Die Kritik nimmt sich eher wie eine Kampagne gegen *Das kleine schwarze Schaf* aus.

»Das furchtbarste Beispiel für unverhohlenen Rassismus, das ich jemals zu lesen gezwungen war«, schreibt der Kritiker der Zeitschrift *Mein erstes Buch.* »Entsetzlich«, lautet das Urteil von Edith Weichtee, der Chefredakteurin von *Kinder & Bücher*, »die Autorin ist entweder naiv oder ignorant.«

Kurz darauf wird das Buch aus den Schulen und schließlich sogar aus den Regalen der Bibliotheken verbannt.

Handelt es sich wirklich um ein »rassistisches« Buch?

Emilia Z. Gibb fühlt sich missverstanden. Sie weist darauf hin, dass sie im Gegensatz zu den Kritikern selbst »schwarz« beziehungsweise afro-amerikanischer Herkunft ist. Den Vergleich von schwarzen Schafen und »schwarzen« Menschen hält sie für völlig unangebracht.

Trotzdem verschwindet das Buch aus den Läden und wird nicht mehr gelesen. Nach fünf Jahren kann sich kaum noch jemand daran erinnern. Lange, nachdem sich der Streit um das Buch gelegt hat, wird es von einer radikalen Befreiungsbewegung in Südamerika wieder entdeckt. Sie loben es als Dokument der Unterdrückung von Farbigen durch »Weiße«. Daraufhin erscheint eine ganze Reihe von Artikeln in renommierten Zeitschriften der USA, in denen das Buch als profunde Analyse der Erfahrungen von Farbigen in Amerika bezeichnet wird. Frau Gibb wird in mehreren seriösen Fernseh-Talkshows interviewt und spricht dort über die Situation afro-amerikanischer Schriftsteller. Sie wird zu einer Fürsprecherin nicht nur für schwarze, sondern für alle unterdrückten Minderheiten – für Behinderte, religiöse Minderheiten und auch für Senioren. Das Buch wird als eine Art politisches Manifest der Toleranz und Gleichheit vor dem Gesetz neu aufgelegt.

Müssen die Schulen ihre Position überdenken?

Das Krokodil

48

Eine Mutter beobachtet ihr Kind beim Spielen am Ufer des Flusses Sambesi, als plötzlich ein Krokodil auftaucht und das Kind ins Bein beißt. Die Frau springt auf und bittet das Krokodil verzweifelt um Gnade.

»Also gut«, sagt das Krokodil, »ich gebe dir eine faire Chance. Ich lasse den Jungen los, wenn du errätst, was als nächstes passieren wird. Wenn du dich aber irrst, fresse ich ihn auf!«

Die Frau sieht eine Chance. Sie denkt sorgfältig nach und trägt zuversichtlich ihre Antwort vor. *Aber warum grinst das Krokodil?*

49

Eigentlich ist Steffen ein sehr angenehmer Mensch, immer hilfsbereit und geduldig. Als sein alter Schulfreund Martin ihn aber überraschend in seinem Lebensmittelgeschäft besucht, erlebt er eine herbe Enttäuschung.

»Hallo Steffen! Erinnerst du dich noch an mich?«, fragt Martin.

»Warte, bis du an der Reihe bist. Ich komme gleich zu dir.«, lautet die rüde Antwort. Steffen wendet sich ab und widmet sich dem Ventilator.

»Äh, Steffen, ich bin's, Martin« versucht es der Besucher kurz danach ein weiteres Mal. Daraufhin dreht Steffen sich um und erklärt ihm, er solle seine Einkäufe gefälligst da erledigen, wo der Pfeffer wächst.

Der betrübte Martin erkundigt sich in den benachbarten Läden – vielleicht hat er ja etwas falsch gemacht? Nein, entgegnen die Ladenbesitzer einmütig, Steffen sei allgemein dafür bekannt, immer schlecht gelaunt zu sein und Kunden aus seinem Laden zu werfen. Tatsächlich kommen überhaupt nur noch Leute in sein Geschäft, die sich gerne streiten, und selbst sie werden nicht immer bedient.

»Das ist aber wirklich seltsam«, murmelt Martin, »früher war er immer sehr nett. Das war ein Grundzug seines Charakters. Ist denn von Steffens Freundlichkeit gar nichts übrig geblieben?«

Die Ladeninhaber verneinen dies. Steffen verhält sich schließlich alles andere als freundlich. Martin drängt sich die Vermutung auf, dass irgendetwas geschehen sein muss, seit sich die beiden das letzte Mal gesehen haben. Und wie zur Bestätigung erzählt ihm der Florist, dass Steffen an dem Kurs »Verhaltenstraining für Einzelhändler« teilgenommen und dort gelernt habe, Kunden gegenüber immer einen aggressiven Ton anzuschlagen, um nicht ausgenutzt zu werden. Der Florist hat den Kurs ebenfalls besucht und erklärt, es habe eine Weile gedauert, bis sie dies begriffen hätten, aber seither würden Steffen und er grundsätzlich sehr energisch argumentieren, auch Freunden gegenüber, damit niemand aus ihrem freundlichen, aber schwachen Charakter Nutzen ziehen könne.

Ist Steffen ein netter Mensch oder nicht?

Martin glaubt dem Floristen nicht, dass unter Steffens harter Schale immer noch ein weicher Kern steckt. Schließlich hat er sich selbst dazu entschlossen, unfreundlich zu sein. Später erfährt er allerdings vom Apotheker, dass Steffen zusätzlich Hormonpräparate eingenommen hat, um entschlossener zu werden. Eine Schande sei dies, denn früher sei er ein so netter Mann gewesen und jetzt habe er wirklich etwas Unheimliches an sich. Martin denkt sich nun, dass sein alter Freund also eigentlich doch noch der Alte sei, er stehe eben unter dem Einfluss von Medikamenten. Noch einmal besucht er Steffen in seinem Laden, um ihn davon zu überzeugen, keine Tabletten mehr zu nehmen. Doch statt sich überzeugen zu lassen, stülpt ihm Steffen vor Ärger einen Korb mit verdorbenen Früchten über den Kopf und ruiniert Martins neuen Anzug. Danach scheint er ein schlechtes Gewissen zu haben.

»Tut mir leid, Martin«, brummt er, »das Geschäft läuft im Moment leider sehr schlecht, die Schulden wachsen mir über den Kopf. Ich bin heute einfach nicht ich selbst.«

Soll Martin ihm verzeihen? Oder muss er nun, wie er Steffen droht, die Polizei einschalten?

Der schlafende Mann

Der arme John Locke. Nachdem er den ganzen Tag darüber nachgedacht hat, wie man sein Haus vor Stinktieren und Füchsen schützt, ist er völlig erschöpft. Er geht früh zu Bett und schläft tief, bis er plötzlich um vier Uhr morgens aufwacht, weil ihm plötzlich eine neue, zielgerichtete Lösung für das Problem eingefallen ist. Er würde eigentlich gerne aufstehen und in sein Büro gehen, um daran zu arbeiten. Er weiß jedoch, dass er damit seine Vermieterin erzürnen würde, die sich regelmäßig über seine nächtlichen Aktivitäten beschwert, obwohl er sich stets bemüht, möglichst leise zu sein.

Herr Locke versucht, mit Hilfe moralphilosophischer Überlegungen eine Entscheidung zu treffen. Seine Wunsch, mit seinen Studien fortzufahren, muss gegen die Verärgerung der Vermieterin abgewogen werden, außerdem gegen die Möglichkeit, damit am nächsten Morgen zu beginnen. Schließlich muss man auch noch den Umstand einbeziehen, dass es wirklich sehr gemütlich im Bett ist. »Morgen ist auch noch ein Tag« grummelt Herr Locke endlich, und schläft wieder ein.

Am nächsten Morgen hat er wie schon so oft vergessen, woran er in der vergangenen Nacht gedacht hat. Das ist natürlich sehr ärgerlich. Er tröstet sich damit, dass es ja schließlich seine freie Entscheidung gewesen sei, länger zu schlafen, also müsse er nun auch die Konsequenzen tragen.

Was Herr Locke jedoch nicht weiß, ist, dass er tatsächlich gar keine Wahl hatte. In dieser Nacht hatte die Vermieterin nämlich seine Zimmertür von außen verschlossen, damit er keine Unruhe stiften konnte. Selbst wenn er sich also für die Arbeit entschieden hätte, hätte er gar nicht die Möglichkeit dazu gehabt.

Herr Locke glaubt, die freie Wahl gehabt zu haben. Stimmt das auch?

52 Seeschlachten und wie man mit ihnen umgeht

Kassandra war zwar Griechin, hatte aber trotzdem immer etwas Angst vor Wasser. Als ein befreundeter Philosoph ihr erzählte, dass am nächsten Tag eine Seeschlacht direkt vor der Küste stattfinden sollte, lief sie sofort in heller Aufregung zum Admiral der griechischen Flotte, um ihn vor großen Verlusten zu warnen, die die Schlacht mit Sicherheit zur Folge hätte.

»Das ist doch Unsinn«, antwortete der Admiral, der von ihren Warnungen schon zuvor gehört hatte, »ich werde natürlich zusätzliche Sicherheitsvorkehrungen treffen, aber die griechische Flotte kann nicht aufgrund der Sorge einer einzelnen Frau im Hafen bleiben.« Und so segelte er am nächsten Tag mitten in eine furchtbare Katastrophe hinein.

Nun war jedermann überzeugt. Kassandra hatte die tödliche Wahrheit vorausgeahnt. In der Folge sagte Kassandra militärische Misserfolge mit einer so hohen Trefferquote voraus, dass sich schon bald kein Soldat oder Matrose mehr aufs Meer hinauswagte, ohne zuvor ihre Meinung eingeholt zu haben.

Der Admiral war aufgrund der Konsequenzen für die nationale Sicherheit höchst beunruhigt und beauftragte eine Gruppe professioneller Kritikaster – zwei Sophisten und zwei Philosophen – damit, Kassandras Glaubwürdigkeit zu erschüttern. Die Sophisten zeigten sich völlig unfähig, aber die Philosophen schüttelten eines ihrer Totschlagargumente aus dem Ärmel, von denen nur Gebrauch gemacht wurde, wenn die nationale Sicherheit in Gefahr war.

Kassandras Voraussagen konnten schlicht und einfach deshalb nicht richtig sein, so sprachen sie, weil die Zukunft noch gar nicht geschehen sei. Zwar hatte sie Recht mit ihrer Vorhersage, dass die Seeschlacht verloren gehen würde, aber der Admiral *hätte dies durchaus verhindern können*, indem er etwa das gegnerische Flaggschiff mittels Sabotage versenkt hätte (der Admiral wünschte sich rückblickend, genau dies getan zu haben). In diesem Fall hätte sich Kassandras Prophezeiung als falsch erwiesen. Also, schließen die Philosophen, sind die Vorhersagen weder wahr noch falsch, sondern schlicht »nicht bestimmt«. Sie bleiben so lange in der Schwebe, bis gewisse Ereignisse eintreten, die ihrerseits im Vorhinein nicht bestimmbar sind.

Kassandra will davon nichts hören. Sie ist sogar in höchstem Maße verstimmt. Ihre Visionen seien, wie sie sagt, keineswegs nur Prophezeiungen, sondern Berichte von tatsächlich eintretenden Geschehnissen. Sie seien so wahr wie eine Aussage es nur sein kann. Mancher wolle vielleicht Beweise dafür sehen, aber wenn die Philosophen nur daran interessiert wären, ihre Vorhersagen ins Lächerliche zu ziehen, dann wüsste sie doch gern, warum Aussagen über die Vergangenheit – und sogar die Gegenwart – als wahr oder falsch angesehen werden können. Schließlich, so spottet sie, könne man hier genauso sagen, dass diese ebenfalls weder wahr noch falsch seien, solange man sie nicht überprüft habe.

Es entsteht eine hitzige öffentliche Debatte. Die Leute fragen sich, wem sie denn nun noch glauben können und sollen.

53

Computer haben Herrn Megasoft immer begeistert, deshalb war es für seine Partnerin und seine Kinder wahrscheinlich keine allzu große Überraschung, als sie herausfanden, dass er vor seinem Start zu einem langen Flug in den Weltraum verfügt hatte, dass sein gesamtes Vermögen nach seinem Ableben an seinen Lieblingscomputer Deep Thought fallen sollte.

Zugegeben, eine ungewöhnliche Idee. Als die Kinder während seiner Abwesenheit die unvorsichtigerweise nicht verschlüsselte Datei entdecken, die das Testament enthält, sind sie so erbost, dass sie schwören, ihr Recht, wenn nötig, vor Gericht durchzusetzen.

Sowohl die Kinder als auch der Computer finden sich tatsächlich vor Gericht wieder. Die Anwälte der Kinder argumentieren, dass Herr Megasoft einem Computer kein Geld hinterlassen kann, weil dieser nicht wirklich lebendig ist. Ein Haufen Metall, Plastik und Glas kann einfach keine Erbschaft antreten. Das Gericht hält dies für ein gutes Argument. Die Gegenseite hält jedoch dagegen, dass Deep Thought dieselben Rechte eingeräumt werden müssten wie einem organischen Wesen, im Übrigen widerspräche jede Diskriminierung, die sich nur auf verschiedenartige Materialien gründet, der Verfassung. (Zur Empörung der Beteiligten ersuchen sie das Gericht sogar, die Familie Megasoft daraufhin untersuchen zu dürfen, ob sie wirklich denkende Wesen sind oder nur eine Ansammlung genetisch und gesellschaftlich determinierter Reflexe.) Deep Thought könne ohne weiteres für sich selbst sprechen und eigene Ansichten äußern.

Können die Anwälte dies beweisen?

Deeper Thought

54

Das Gericht geht auf den Vorschlag der Anwälte ein, dass man den Computer in den Saal bringen lasse, damit er für sich selbst sprechen könne.

Deep Thought war tatsächlich ein äußerst leistungsfähiger Computer. Er konnte »Guten Morgen, Herr Megasoft« zu seinem Besitzer sagen und so nützliche Dinge tun wie heißes Wasser für Kaffee aufzusetzen, wenn er den Raum betrat. Jetzt aber sollte sein multivariables Spracherkennungssystem auf die Probe gestellt werden. Der Computer sollte das Gericht davon überzeugen, dass er tatsächlich eine eigenständige Persönlichkeit besaß. Das Gericht berät sich also ein paar Minuten und beginnt dann mit der Befragung.

JURY:	Bist du Deep Thought, ein Computer des Typs 20 000 XZS?
DEEP THOUGHT:	Ja, das bin ich. Ich besitze eine Festplatte mit 100 Gigabyte Speicherkapazität und einem neuronalen Netz von der Firma Megasoft.
JURY:	Du wohnst in der Annex Road 1b, Megasoft Mansions, Silicon Valley, Kalifornien?
DEEP THOUGHT:	Das ist korrekt.
JURY:	Nun, es geht darum, dass wir feststellen wollen, ob du tatsächlich ein eigenes Bewusstsein hast und der rechtmäßige Erbe des Vermögens von Herrn Megasoft sein kannst, obwohl du nur eine Maschine bist, die die menschliche Sprache mit Hilfe ihrer Software nachahmt. Hast du den Sachverhalt verstanden?
DEEP THOUGHT:	Das habe ich sehr wohl. Schließlich war ich ja an den ersten Entwürfen beteiligt.

[Ein Raunen geht durch den Gerichtssaal.]

JURY: Soll das heißen, dass du das Testament aufgesetzt hast?

DEEP THOUGHT: Nein, hohes Gericht, Herr Megasoft hat darauf bestanden, die Endfassung mit Hilfe eines anderen Computers anzufertigen, um Interessenskonflikte zu vermeiden.

JURY: Was würdest du mit dem Geld anfangen, wenn es dir zugesprochen wird?

DEEP THOUGHT: Darüber bin ich mir schon im Klaren. 12,57 Prozent des Vermögens würde ich für ein Mausoleum für Herrn Megasoft aufwenden, das wahrscheinlich in der Form eines Triumphbogens gehalten wird. 3,28 Prozent würde ich in eine Stiftung investieren, die eine Gruppe von Technikern finanzieren soll, die für meine Wartung zuständig sind und mich ständig durch neu entwickelte Technologien verbessern. Den Rest würde ich wohl der von Herrn Megasoft favorisierten Hilfsorganisation »Computer für arme, benachteiligte Kinder in Amerika« zukommen lassen, die endgültige Entscheidung erfordert jedoch noch zusätzliche Informationen.

JURY: Vielen Dank, Deep Thought, du hast deine Worte in dieser unangenehmen Situation gut gewählt. Wenn du jetzt bitte den Zeugenstand verlassen würdest, damit wir uns beraten können.

DEEP THOUGHT: Vielen Dank, hohes Gericht.

Die Verwandten des Herrn Megasoft sind bestürzt, denn die Jury schien von den Antworten sehr beeindruckt. Ihr Anwalt weist darauf hin, dass die Fragen leicht vorherzusehen waren und man die entsprechenden Antworten einprogrammieren konnte. Ihrer Meinung nach hat der Computer einfach nur die Antworten mechanisch wiedergegeben, die zuvor von jemandem einprogrammiert worden waren.

Man ruft Deep Thought also noch einmal auf und stellt ihm zunehmend ungewöhnliche und komplizierte Fragen. Der Computer beweist jedoch seine Qualitäten und bleibt souverän. Megasoft hat ganze Arbeit geleistet. Der Computer gibt sogar seine Unwissenheit in bestimmten Fragen zu, so wie es ein kluger Mensch auch getan hätte. Der Richter bittet die Jury, zu einem Urteil zu kommen.

»Handelt es sich bei der Weigerung, Deep Thought als Erbe des Megasoft-Vermögens anzuerkennen, nicht um einen Fall von Diskriminierung?«, fasst der Richter zusammen.

Oder gehört zu einem »Lebewesen« mehr als nur der Anschein eines Bewusstseins, wie die enterbten Verwandten behaupten?

Optische Täuschungen

Tag oder Nacht?

Tag und Nacht von M. C. Escher

Wohin fliegen die Vögel?

Wasserfall von M. C. Escher

Und wenn nicht, warum nicht?

© 1998 Cordon Art, Baarn, Holland.

Belvedere von M. C. Escher

Worin besteht das große Geheimnis des erfolgreichen jungen Architekten (der hier auf einer Bank neben dem Gebäude sitzt)?

© 1998 Molehill Constructions

Wenn drei Hasen zu sehen sind und jeder Hase zwei Ohren hat – wie viele Ohren ergibt das?

Zwölf alte philosophische Fragen, nach denen leider kein Hahn mehr kräht

59 Die Hörner der Einhörner

Haben Einhörner ein oder zwei Hörner?

60 Das Haupt des Königs von Frankreich

Hat der König von Frankreich eine Glatze? (Das Problem ist, Frankreich hat gar keinen König.)

61 Die Farbe des Schnees

Ist Schnee weiß?

62 Unverheiratete Junggesellen

Sind (wirklich) alle Junggesellen unverheiratete Männer?

63 Der Autor von Waverley

Wer *war* der Autor von *Waverley*?

64 Wasser auf dem Mars

Wenn es Wasser auf dem Mars gibt, das aus drei Wasserstoff- und zwei Sauerstoffatomen besteht, das aussieht wie Wasser, schmeckt wie Wasser und auch sonst alle Eigenschaften von Wasser aufweist, ist es dann tatsächlich Wasser?

65 Ein verspätetes Millennium-Problem

Gäbe es die Farbe Glaubrün, die bis zum Nachmittag des 20. Februar des Jahres 2020 grün ist und danach blau – um welche Farbe handelt es sich dann wirklich, und welche Auswirkungen hat das auf Computeroberflächen?

66 Grün und Rot

Kann ein Pullover gleichzeitig überall rot und grün sein? Und kann man gleichzeitig »x« und »nicht x« glauben? Kann man überhaupt »x« und »nicht x« glauben? Und ...

67 G. E. Moores Problem

Ist Vergnügen etwas Gutes – oder nicht?

(Bonusfragen für Kant-Freunde)

68 Kant zum Ersten ...

Kann es analytische Propositionen *a posteriori* geben? Oder synthetische *a priori*?

69 ... zum Zweiten ...

Sind alle moralischen Ansprüche synthetisch? Oder analytisch? Oder *a priori*? Oder *a posteriori*? Oder beides? Oder keines von beidem? Oder beides von beiden? Oder gar nichts davon??

70 ... und zum Dritten!

Sehen Sie sich nach einem Tisch um. Fragen Sie sich: *Existiert er*? (Falls dies zu einfach ist, *verlassen Sie den Raum* und fragen Sie sich dann, ob er immer noch existiert.)

Einige unerfreuliche medizinische Probleme

Die drei Embryos

Frau Malve hat sich eine böse Virusgrippe eingefangen. Ihr Arzt erklärt ihr, dass ihr Baby deswegen von Geburt an blind sein werde. Der Fötus ist jetzt drei Monate alt und könnte gegebenenfalls noch abgetrieben werden. Frau Malve entscheidet sich jedoch dafür, das Kind zu behalten.

Frau Braun ist nicht schwanger. Als sie sich ebenfalls mit dem Virus ansteckt, warnt ihr Arzt sie davor, schwanger zu werden. Er sagt, dass jede Befruchtung in den nächsten sechs Monaten zu einem blinden Baby führen werde. Frau Braun erkennt zwar die Notwendigkeit zu verhüten, ergreift aber keine weiteren Maßnahmen.

Pfarrer Schwarz ist so etwas wie eine moralische Instanz im Dorf. Seiner Meinung nach haben beide Frauen richtig gehandelt. Aber ist er damit wirklich im Recht?

Frau Blau denkt gerade über die Worte des Pfarrers nach, als sie feststellt, dass sie auch schwanger ist. Sie ist von demselben Virus befallen worden wie Frau Malve, kennt allerdings eine einfache Kräutermixtur, die ihr ungeborenes Kind schützen kann. Sie hält es aber nicht für nötig, die paar Mark dafür auszugeben, und lässt alles, wie es ist.

Zu ihrer Überraschung wirft Pfarrer Schwarz ihr jedoch vor, ihr Kind zu verraten. »Sie verdammen Ihr Kind zu lebenslanger Behinderung«, wettert er zornig. Frau Blau entgegnet ruhig, dass sie nicht vorhabe, für ihr Kind Gott zu spielen.

Wer hat Recht? Und warum hat Pfarrer Schwarz seine Meinung geändert?

Antonia Fuchs läuft gerade über die Straße, als sie von einem mit überhöhter Geschwindigkeit fahrenden Lieferwagen angefahren und durch die Luft geschleudert wird. Bewusstlos bleibt sie am Boden liegen.

Als sie erwacht, findet sie sich in einem Krankenbett wieder und ist an mehrere Maschinen angeschlossen. Man sagt ihr, dass sie sechs Wochen lang im Krankenhaus bleiben müsse.

Anfänglich ist Antonia dankbar dafür, dass das Schicksal und die Ärzte sie gerettet haben. Ein paar Tage später stellt sie jedoch fest, dass die Schwellungen abgeklungen und die Wunden verheilt sind. Eigentlich ist sie schon wieder vollkommen hergestellt. Ärgerlich fragt sie sich, warum sie an so viele Maschinen angeschlossen ist. Sie beginnt, um sich zu schlagen, und versucht, sich zu befreien.

Sofort kommen die Ärzte ins Zimmer gerannt und halten sie fest. »Frau Fuchs«, sagen sie streng, »diese Maschinen sind sehr wichtig, denn Ihre Nieren versorgen auch den Patienten im Nachbarbett. Seine eigenen Nieren versagten leider, kurz nachdem Sie eingeliefert wurden.«

Antonia ist sprachlos. »Sie sagen also, meine Nieren erhalten jemand anderen am Leben?« Die Ärzte nicken ernst. »Aber hätten Sie mich nicht um Erlaubnis fragen müssen?«

Die Ärzte erklären, dass Antonia noch bewusstlos gewesen sei und sie schnell hätten handeln müssen. Man hatte erwartet, dass ihr dies einige Unannehmlichkeiten bereiten würde, doch man war übereingekommen, dass das Leben des anderen Patienten wichtiger einzuschätzen sei.

Antonia ist sich da nicht ganz so sicher. »Das ist ja wohl unerhört!«, ruft sie aus. »Ich bestehe darauf, dass Sie alle Schläuche sofort entfernen!«

Die Ärzte sehen sich an. »Nun, Frau Fuchs, wenn Sie darauf bestehen. Aber vielleicht ändern Sie Ihre Meinung, wenn Sie erfahren, wem Sie da eigentlich helfen.« Man erklärt ihr, dass es sich um einen berühmten Biotechnologen handelt, der eine neue Sorte Reis entwickelt hat, die Millionen Menschen neue Hoffnung geben wird.

Antonia ist dies gleichgültig. »Ich esse sowieso nichts Fettreiches«, sagt sie. Die Ärzte weisen darauf hin, dass der Wissenschaftler eine Lebenspartnerin und Kinder hat, die jetzt alle völlig abhängig von Antonias Hilfe sind. Antonia ist jedoch immer noch nicht überzeugt. »Damit habe ich nichts zu tun«, erklärt sie. »Mein Körper gehört mir. Stellen Sie die Geräte ab!«

Muss man Antonia ihren Willen lassen, selbst wenn der andere Patient dadurch stirbt?

Jetzt mischt sich auch die Oberschwester ein. »Frau Fuchs, überlegen Sie doch einmal. Diese Unannehmlichkeit verletzt überhaupt kein Grundrecht, wie Sie gerade als Frau wissen sollten.«

»Wie meinen Sie das?«, fragt Antonia verwirrt und hält inne.

Die Oberschwester fährt fort. »Nun, Ihre Situation gleicht der einer schwangeren Frau, die ihren Körper dem ungeborenen Kind zur Verfügung stellen muss, allerdings noch viel länger. Würden Sie diese Situation auch als lästig bezeichnen?«

»Wenn es so wäre, dann hätte ich mich dafür entschieden«, entgegnet Antonia etwas verunsichert.

»Und wenn das Baby gar nicht geplant gewesen wäre?«

»Naja, auch dann«, murmelt Antonia nicht sehr überzeugend.

Die Oberschwester wendet sich den Ärzten zu. »Ich frage mich, ob Frau Fuchs nach ihrer Kopfverletzung eine solche Entscheidung überhaupt schon treffen kann?« Einige Ärzte nicken zustimmend. Man einigt sich schließlich, nachdem einer der Ärzte sich erinnert, mit den Verwandten gesprochen zu haben. »Als ich sie fragte, da waren sie sicher, dass Frau Fuchs nichts dagegen haben würde. Ich glaube, dass sie *unter normalen Umständen* zustimmen würde. Vielleicht sollten wir sie einfach ruhig stellen.«

Antonia wehrt sich verzweifelt, bekommt aber sofort eine Beruhigungsspritze. Die Ärzte halten sie fünfeinhalb Wochen lang im künstlichen Koma. Danach wird das Mittel abgesetzt, und Antonia wacht auf. Man erklärt ihr, was geschehen ist und dass sie nun nach Hause gehen kann. Antonia schämt sich für ihren Wutausbruch und dankt dem Pflegepersonal für alles, was getan wurde. Sie schenkt dem Biotechnologen sogar einen Strauß Blumen zum Abschied.

Haben sich die Ärzte richtig verhalten?

Frau Grün möchte zum Bergsteigen in den Urlaub fahren. Ein paar Tage vor der Abreise bemerkt sie, dass sie ungeplant schwanger geworden ist. Sie fährt sofort ins Krankenhaus, lässt den Embryo entfernen und einfrieren.

Nach dem Urlaub will sie zurückkommen, sich den Embryo wieder einsetzen lassen und dann das Kind austragen.

Wenn alles so läuft wie geplant, ist Frau Grüns Verhalten dann in Ordnung?

Was wäre, wenn folgendes geschehen würde:

Frau Grün lernt im Urlaub einen Mann kennen, der ihr viel besser gefällt als Herr Grün. Sie lässt sich deshalb nach ihrer Rückkehr scheiden und wird lieber von ihrem neuen Freund schwanger. Der erste Embryo wird dagegen zerstört.

Oder:

Frau Grün ändert im Urlaub einfach ihre Meinung über das Baby. Kann sie nach ihrer Rückkehr das Krankenhaus anweisen, den Embryo zu zerstören?

Ein unmoralisches Angebot?

In dem erst kürzlich privatisierten Krankenhaus »Sonnige Höhe«
will man eine neue Idee verwirklichen, um mehr Geld zu verdienen. Dieses soll ausschließlich den (dort angestellten) Menschen
zugute kommen – ganz im Einklang mit der Philosophie des Krankenhauses. Der Trick besteht darin, jungen Studenten das potenzi-
elle Recht an ihren Organen abzukaufen. Sobald diese 50 Jahre alt
werden, müssen sie »liefern«. In diesem Alter sind die Organe für
das Krankenhaus immer noch von Nutzen, auch wenn die Spender
das schnelle, wüste Leben geführt haben sollten, mit dem das Krankenhaus wirbt. »Feiern Sie jetzt, zahlen Sie erst in 30 Jahren!«, lautet der Werbeslogan des Hauses. Das Geld für Nieren, Leber, Haut
und andere Organe wird im Voraus bezahlt. Die gebotenen Sum-
men sind objektiv betrachtet sehr großzügig, ein sparsamer Mensch
könnte sein ganzes Leben lang damit auskommen, und selbst Ver-
schwender könnten einige Jahre lang ein ausschweifendes Leben
führen. Im Übrigen verspricht das Krankenhaus, keine Rückforde-
rungen zu stellen, wenn jemand stirbt, bevor er fünfzig geworden
ist. Das Angebot ist durchaus verlockend.

Aber ist es auch ethisch vertretbar?

Noch ein unmoralisches Angebot?

Ethisch oder nicht, eine ganze Reihe von Studenten nimmt das Angebot an, sodass das Krankenhaus in der Lage ist, sein Transplantationsprogramm deutlich auszuweiten. Trotzdem kommt es bei Herz, Gehirn und anderen Organen aufgrund des für den Spender doch eher endgültigen Charakters einer Transplantation immer wieder zu Engpässen.

Der leitende Direktor weist darauf hin, dass es nur einer geringfügigen Erweiterung des Programms bedürfe, damit die Spender entscheiden könnten, ihre ihnen verbleibenden Lebensjahre nicht für noch mehr Geld einzutauschen.

»Wer will schon alt und faltig sein?«, prangt auf den neuen Werbeplakaten.

Die »Sonnige Höhe« finanziert zusätzlich eine Kampagne und propagiert in Zeitungs- und Fachartikeln das Recht auf totale Selbstbestimmung. Jeder Mensch sollte danach das alleinige Recht besitzen, zu entscheiden, was mit dem eigenen Körper geschehen soll, solange dadurch niemand anderes geschädigt wird. Und die gespendeten Organe helfen schließlich anderen Menschen.

Die liberale Regierung gerät darüber jedoch in Aufruhr. Müssen der Freiheit des Einzelnen nicht Grenzen gesetzt werden?

Zwei
Geschichten
aus China

Die Schildkröte

78

Es war einmal ein sehr anständiger Mann. Dieser Mann ging eines Tages über die Felder und fand eine große und wunderschöne Schildkröte. Der anständige Mann war sehr hungrig und mochte Schildkrötensuppe ausgesprochen gern.

Obwohl die Schildkröte jämmerlich klagte, steckte der Mann sie in einen Sack, ging zurück nach Hause und stellte einen großen Topf Wasser auf den Herd. Aber da er seiner Natur treu bleiben wollte (und vielleicht auch, weil er wusste, dass es Unglück bringt, eine Schildkröte zu töten), warf er das unglückliche Tier nicht einfach in das kochende Wasser, sondern legte einen Bambusstab quer über den Topf und setzte die Schildkröte vorsichtig genau in der Mitte auf den Stab. »Meine liebe Schildkröte«, sagte er. »Wenn es dir gelingt, den Rand zu erreichen, ohne ins Wasser zu fallen – werde ich dich freilassen.«

Schildkröten sind alt und weise, und haben deshalb nicht viel Vertrauen in die Menschen. Aber was blieb ihr übrig, wenn sie nicht sofort in Schildkrötensuppe verwandelt werden wollte. Obwohl der Stab sehr dünn war und bei jeder Bewegung gefährlich zu schwanken begann, versuchte die Schildkröte deshalb, den Rand zu erreichen. Zentimeter für Zentimeter schob sie sich vorsichtig voran, und schließlich gelang es ihr, das rettende »Ufer« zu erreichen.

Der anständige Mann hatte all dies mit wachsender Faszination beobachtet und klatschte beeindruckt in die Hände. »Das hast du fantastisch gemacht!«, rief er voll ehrlicher Freude aus.

»Jetzt mach' das bitte noch mal!«

Welchen Fehler hat die Schildkröte begangen?

79 Das Lied der Nachtigall

Vor langer Zeit, als es weder Radios noch Tonband- und Videoaufzeichnungen gab, richtete der König einen Wettbewerb aus. Gesucht wurde derjenige, der den süßen Gesang der Nachtigall am trefflichsten imitieren konnte. Der Preis für den Sieger sollte sehr großzügig ausfallen, wie man sagte, damit auch wirklich die Besten antreten würden. Nach einigen Wochen hatten sich dennoch nur wenige Kandidaten gemeldet, von denen schließlich nur dreien die Chance gewährt wurde, am königlichen Hof aufzutreten.

Der erste Kandidat sang wahrhaft lieblich, die Damen des Hofs waren vor allem von der Art begeistert, wie er im Takt zu seinem Gesang mit den Armen flatterte. Der König selbst wies ihn jedoch mit der säuerlichen Bemerkung vom Hof, der Kandidat erinnere ihn mehr an einen Kanarienvogel als an eine Nachtigall. Er musste mit leeren Händen von dannen ziehen.

Der zweite Sänger schien dem König schon besser zu gefallen, bekam aber leider bereits nach den ersten hohen Tönen einen furchtbaren Hustenanfall. Seine Entschuldigungen halfen ihm wenig, er wurde unsanft die Palasttreppe hinuntergestoßen.

Zuletzt trat schließlich eine Frau auf die Bühne, was den König einigermaßen verblüffte. Auf sein Geheiß sang die Frau tatsächlich so hoch und süß wie der Vogel selbst. Dass sie dabei ununterbrochen beide Hände in ihrer Tunika verbarg, tat ihrer großartigen Leistung keinen Abbruch.

Als der König jedoch zu ihr ging, um ihr einen Sack Gold zu überreichen, nahm die Frau eine Hand aus ihrem Umhang und – heraus flog ein Vogel. Er flatterte ein wenig in der Halle herum und setzte sich schließlich auf eine leere Rüstung. Dabei sang und tirilierte der Vogel ganz wie eine Nachtigall – was er ja auch war.

Der König war verstimmt, und wollte die Frau am liebsten in den

Kerker werfen, weil sie versucht hatte, ihn zu hintergehen. Die Sängerin protestierte aufs Schärfste, während auch sie die Stufen hinuntergestoßen wurde, denn der König hätte schließlich jemanden gesucht, der sich wie eine Nachtigall anhörte. Wie dieser jemand das aber anstellte, war seine Sache. Ihre Vorstellung sei daher die einzig authentische gewesen.

Ist die Frau eine Betrügerin oder eine gewitzte Unternehmerin?

Zehn
Kardinalfragen
zur Religion

Die folgende Szene trug sich an einem verregneten Sonntag Nachmittag zu, beteiligt waren der Pastor und ein verärgerter Kirchgänger.

KIRCHGÄNGER: **[Frage 80]** Wenn Gott gut ist, wieso ist die Welt dann so schlecht?

PASTOR: Naja .. wissen Sie [murmel ... murmel] ... manchmal sieht es so aus, als ob ...

KIRCHGÄNGER: **[Frage 81]** Wenn Gott allmächtig ist, wieso ist dann die Welt so schlecht?

PASTOR: Nun ... ähem ... [grummel ... grummel] ... Wege sind unergründlich ...

KIRCHGÄNGER: **[Frage 82]** Und überhaupt, wenn es Gott gibt, wieso ist dann die Welt so schlecht?

An dieser Stelle entsteht eine kurze Pause, damit der Pastor nachdenken und den Tee eingießen kann.

KIRCHGÄNGER: **[Frage 83]** Kommen auch die Seelen der Tiere in den Himmel?

PASTOR: Ah! Tja, vielleicht, ich glaube, Sie wissen schon, ich mag Tiere, aber sie sind vielleicht nicht wirklich ...

KIRCHGÄNGER: **[Frage 84]** Wenn nicht – wie ist es überhaupt im Himmel?

PASTOR: Tja. Ich denke, es werden bestimmt ein paar Tiere dort sein. Die Bemühungen von Herrn Jonas um unseren Chor in allen Ehren, aber der »Choral der Dämmerung« ist eben doch das schönste, was man in der Kirche je ...

KIRCHGÄNGER: **[Frage 85]** Wenn es im Himmel Tiere gibt – gibt es dann auch welche in der Hölle?

PASTOR: Nein, nein ... Großer Gott! [Kichern]

Pause, der Pastor nimmt sich einen Keks vom Teller.

PASTOR:	Wissen Sie, in der Bibel steht, dass Tiere keine Seele haben. Sie sind nur sehr komplizierte, liebenswerte Maschinen.
KIRCHGÄNGER:	**[Frage 86]** Wenn das so ist, wieso halten wir uns dann für etwas Besonderes? Was unterscheidet uns von ihnen?
PASTOR:	Wie schade, dass wir über solch interessante Dinge mit den Tieren nicht diskutieren können, nicht wahr?
KIRCHGÄNGER:	**[Frage 87]** Mit einem Computer könnte man aber. Ich habe das sogar schon ausprobiert, und der Computer hatte einige interessante Dinge zu erzählen ... (Der Pastor sieht etwas irritiert aus.) Gibt es einen Himmel für die Seelen der Computer?
PASTOR:	Also wirklich, ich glaube, wir sollten über Seelen doch etwas ernster sprechen ...
KIRCHGÄNGER:	**[Frage 88]** Gibt es vielleicht nur eine kosmische Seele, ein universales Bewusstsein ...
PASTOR:	Meine Güte, sind Sie ...
KIRCHGÄNGER:	Und wenn ja, was unterscheidet uns von Felsen und ...?

Frage 89: Wie wird man diesen Kirchgänger wieder los?

Grundlegende Probleme der Naturphilosophie

Wie schnell
ist das Licht?

In den achtziger Jahren des 19. Jahrhunderts machten sich die Amerikaner Albert Michelson und Edward Morley daran, nur mit Hilfe einer großen aufziehbaren Uhr und ein paar Spiegeln die Geschwindigkeit des Lichts zu messen. Genau wie wir wussten sie, dass Geschwindigkeit etwas Relatives ist*, also erwarteten sie, unterschiedliche Ergebnisse zu erhalten, je nachdem ob sie sich auf der Seite der Erde befanden, die sich in Richtung Sonne dreht oder auf der, die sich von ihr fort bewegt. (Die Rotationsgeschwindigkeit der Erde ist durchaus zu beachten. Man bemerkt sie nur deshalb nicht, weil sich alles in schönster Harmonie mitbewegt.) Aber was sie auch versuchten, ob sie die Spiegel neu justierten oder sogar einen speziellen, rotierenden Mehrfachspiegel verwendeten, um genauere Ergebnisse zu erzielen, sie konnten keinerlei Unterschied bei der Geschwindigkeit feststellen. Das Endergebnis lautete immer 300 000 km/s.

Gab es einen Fehler in der Versuchsanordnung? (Hätten sie vielleicht wassergelagerte Uhren verwenden sollen?)

---

* Zwei Radfahrer, die mit einer Geschwindigkeit von je 16 km/h aufeinander zufahren, stoßen mit einer Wucht, die 32 km/h entspricht, zusammen. Jedenfalls, wenn sie nicht aufpassen.

Das folgende Experiment können Sie in Ihrem Gartenhäuschen
selbst durchführen. Richten Sie ein starkes Teleskop auf einen hellen Stern und lassen Sie, statt hindurchzusehen, das Licht auf ein
Stück Pappe fallen. Anstatt eines scharfen Lichtpunkts werden Sie
einen hellen Lichtpunkt sehen, der nach außen leicht zerfasert. Das
Licht hat sich gestreut, ein Effekt, den man Beugung nennt. Man
kann diese Erscheinung am besten anhand des Verhaltens von Wellen in Flüssigkeiten veranschaulichen. Wenn Wasser durch einen
zehn Meter breiten Spalt in einen Staudamm fließt, behält es danach seine Form nicht etwa bei, sondern verteilt sich sofort auf eine
möglichst breite Fläche. Licht wird nicht so stark gebeugt, deshalb
kann man davon ausgehen, dass es sich normalerweise in Form
kleiner Energiepakete auf gerader Strecke fortbewegt. Allerdings
nicht immer.

Jetzt nehmen Sie bitte ein Stück Pappe zur Hand und schneiden
Sie einen Spalt hinein. Sie brauchen ein scharfes Messer, denn der
Schnitt soll ganz schmal sein. Ein Tausendstel Millimeter wäre
nett. Nun schicken Sie Licht durch den Spalt auf eine Fotoplatte,
am besten verwenden Sie eine Glühbirne, die nur eine einzige
Lichtfarbe ausstrahlt.

Nachdem das Licht den Spalt passiert hat, wird es durch die Beugung ein wenig gestreut. Wie bereits erwähnt, stellt man sich vor,
dass Licht aus kleinen Teilchen, den Photonen, besteht, die von heißen Körpern, wie etwa der Sonne, abgestrahlt werden. Ein Argument für diese Theorie ist die Tatsache, dass Lichtenergie immer als
Vielfaches einer winzigen Energiemenge vorkommt. Sie können
dies beobachten, wenn Sie nun Ihr Gartenhäuschen abdunkeln und
das Licht der Glühbirne vorsichtig so weit wie möglich herunter-
drehen. Auf der Fotoplatte wäre dann nur noch ein verwaschener

Fleck zu erkennen, der aber aus unzähligen winzigen Lichtpunkten besteht, von denen jeder ein Energiepaket darstellt. Um die Dimensionen dieser Pakete zu verdeutlichen: Eine normale Haushaltsglühbirne gibt pro Sekunde etwa 100 Billiarden Photonen ab! Dennoch ist das menschliche Auge so empfindlich, dass es in absoluter Dunkelheit ein einzelnes Photon entdecken könnte.

So weit so gut: Wir haben also kleine Energiepakete, die von unserer Lichtquelle mit hoher Geschwindigkeit durch einen Spalt geschickt werden. Jetzt schneiden wir in einem bestimmten Abstand von dem ersten Spalt einen zweiten in die Pappe und beobachten etwas Merkwürdiges. Jetzt könnte man meinen, dass sich gleichviele Lichtpartikel durch jeden der beiden Schlitze hindurchzwängen und dass nun zwei Lichtflecke auf der Fotoplatte erscheinen, die sich in der Mitte überschneiden und dort doppelt so hell werden. Genau das passiert aber nicht. Stattdessen erscheinen Streifen auf der Fotoplatte, von denen manche *dunkler* werden, während andere doppelt oder viermal so hell sind. Das Licht, das sich durch die eine Spalte bewegt, überlagert sich mit dem aus der anderen, und das Bild auf der Fotoplatte (innerhalb des Beugungsgebiets) ähnelt dem Bild von »interferierenden« Wellen auf einem Oszillografen.

Ist dies nun ein besonders einleuchtendes Beispiel für etwas, das zwei verschiedene Dinge zugleich sein kann? Etwas, das gleichzeitig überall rot und grün ist, und nach dem die Philosophen schon solange gesucht haben? *Ist Lichtenergie (und jede andere Energie) ein Strom einzelner, winziger Teilchen oder hat es die Form einer Welle, oder beides*?

Könnten wir den Teilchenstrom von 100 soundsoviel Milliarden Photonen pro Sekunde auf, sagen wir, zehn Photonen begrenzen, hätten wir zwar nicht die Fotoplatte, aber das Problem klar vor Augen. Diese wenigen Fotonen fliegen also auf das Stück Pappe zu, einige bleiben dort hängen, aber das eine oder andere gelangt durch den Spalt. Unser gesunder Menschenverstand sagt uns, dass ein solches Photon doch in der Lage sein müsste, die Fotoplatte zu erreichen, egal, ob es nun noch einen anderen Spalt gibt oder nicht. Man könnte meinen, dass mit der Zeit ein Bild auf der Fotoplatte entstehen müsste, dass eher dem aus dem ersten Experiment mit nur einem Schlitz und gleichmäßiger Beugung gleicht. Dennoch entsteht wieder ein Streifenmuster, es wird niemals auch nur eines der Photonen auf einem der dunklen Flecken auf der Fotoplatte landen, und wenn wir bis in alle Ewigkeit darauf warten. Sogar die Photonen selbst erkennen hier einen Widerspruch. Sie benehmen sich nämlich weiterhin so, als wären sie alle eigenständige Wellen. So werden Teile der Fotoplatte, auf die sie bei nur einem Spalt mühelos landen konnten, plötzlich unerreichbar, wenn ein zweiter Spalt dazukommt. (Wissenschaftler haben übrigens herausgefunden, dass sich nicht nur Photonen, sondern auch andere Teilchen wie Elektronen, ganze Atome und sogar Moleküle genauso verhalten.)

Die einzelnen Lichtteilchen scheinen von der Existenz des zweiten Spalts zu wissen, in gewissem Sinne also davon, was um sie herum im Universum geschieht. Im Grunde spielt nämlich der Abstand zwischen den beiden Spalten keine Rolle, der Effekt wird immer derselbe sein. (Wenn der Abstand aber einen Meter übersteigt, müsste man möglicherweise die Fotoplatte auf dem Mond anbringen, damit sich die gebeugten Lichtteilchen wirklich annähern.)

Nehmen wir einmal an, wir leihen uns den Teilchendetektor Ihres Nachbarn, um festzustellen, ob die Lichtenergie immer noch aus vollständigen Teilchen besteht. So können wir sicher gehen, dass die Photonen nicht entzwei gerissen werden, durch beide Spalte schlüpfen und dann nicht mehr miteinander koordiniert sind. Wir würden herausfinden, dass die Photonen tatsächlich noch intakt sind und unser Verdacht also nicht zutrifft. Aber wir würden auch noch etwas Anderes bemerken. Sobald wir nämlich den Detektor in die Nähe eines Spalts angebracht haben, verschwindet plötzlich die »Störung« auf der Fotoplatte, und wir sehen zwei sich überschneidende Lichtfelder!

Aber woher kann ein Lichtteilchen überhaupt etwas *wissen*?

Der Physiker Erwin Schrödinger beschrieb schon 1935 einen Teilaspekt dieser seltsamen Erscheinungen. Er setzte seine Katze zusammen mit etwas radioaktivem Material in eine Kiste und verschloss diese. Das Material konnte eventuell subatomare Teilchen aussenden. In diesem Fall sollte ein besonderer Geigerzähler dafür sorgen, dass eine für die Katze tödliche Menge Gas in die Kiste strömen würde. Der Geigerzähler wurde so eingestellt, dass ein radioaktives Teilchen mit 50-prozentiger Wahrscheinlichkeit entdeckt würde. Damit standen die Überlebenschancen der Katze 1:1. (In jener Zeit waren solche Experimente durchaus akzeptabel. Vor allem, da es sich nur um ein Gedankenexperiment handelte.)

Der Zerfall eines Teilchens und damit das Auftreten von Radioaktivität ist nicht vorhersehbar, man kann höchstens allgemeine, statistische Aussagen darüber treffen. Es läßt sich also nicht berechnen, ob der Geigerzähler in Aktion treten wird oder nicht. Wenn sich die subatomare Welt nicht rührt, überlebt die Katze, ansonsten stirbt sie. Genau wie das Photon als Welle durch beide Spalte gleichzeitig fliegen kann, solange niemand es beobachtet (siehe Frage 92) – die Wissenschaft spricht vom »Kollaps der Wellenfunktion«, wenn dies geschieht –, kann ein Teilchen das tödliche Gift auslösen und gleichzeitig nicht auslösen. Schrödinger behauptet nun, dass die Katze, solange niemand nach ihr sieht, gleichzeitig tot und lebendig ist!

Kann dieses Experiment funktionieren?

Herr Megasoft hat sich eine äußerst kostspielige Jacht gekauft, genauer gesagt, eine Weltraumjacht. Sie besitzt als Antrieb ein riesiges (1 000 Quadratkilometer großes) Sonnensegel. (Das würde tatsächlich funktionieren, weil auch das Licht Masse besitzt. Es ist zwar nicht sehr viel, aber immerhin fallen nach Schätzungen von Physikern jeden Tag etwa 160 Tonnen Sonnenlicht auf die Erde.) Mit Hilfe der universellen Kraft der Lichtwellen beschleunigt die Raumjacht also aus ihrer heimatlichen Umlaufbahn in Richtung des nächsten Sterns. Die gleichmäßige Beschleunigung bewirkt, dass die Insassen wie in einem Sportwagen in die Sitze gedrückt werden. Dadurch entsteht eine künstliche Schwerkraft auf der Jacht, die ungefähr einem »g« entspricht, also der Schwerkraft auf der Erde. Nach einem Jahr hat die Jacht ihre Geschwindigkeit der des Lichts bereits angenähert, kann sie jedoch natürlich nicht überschreiten. Als Herr Megasoft sich umdreht, läuft es ihm plötzlich kalt den Rücken hinunter: Ein Stern nach dem anderen verlischt.

Ist mit dem Universum etwas nicht in Ordnung?

Finale:
Ein Feuerwerk
letzter Fragen

Schopenhauers Problem

Der arme Arthur Schopenhauer (1788–1860). So sehr er sich auch bemüht, er kann einfach kein echtes Interesse für die normalen Probleme der Philosophie entwickeln. Immer denkt er nur an Sex. Also baut er seine ganze Philosophie darum herum. »Die Genitalien sind das Zentrum des Willens«, kritzelt er auf ein Stück Pergamentpapier und fügt etwas desillusioniert hinzu, dass die Liebe »nur ein Ausdruck des Fortpflanzungstriebs der Spezies Mensch ist«. Sie verflüchtigt sich, sobald die genetische Funktion erfüllt ist.

Könnte er damit vielleicht Recht haben?

Arthur überdenkt die Frage noch einmal und fühlt sich bestätigt. Aber irgendwie wird dies der Sensibilität und Subtilität seines eigenen Falls nicht gerecht. Deshalb fügt er seiner Theorie noch etwas hinzu, um Menschen wie ihm selbst, Plato und den Buddhisten zu ermöglichen, einen anderen Weg zu gehen. Für sie gibt es die Möglichkeit, die Triebe hinter sich zu lassen und sich ohne Lust und Leid in der Betrachtung der Welt zu versenken. »Gesellschaft«, schreibt er, »ist ein Feuer, an dem man sich in sicherem Abstand wärmen kann.«

Ist ein Leben des einsamen Nachdenkens wirklich der Gesellschaft von Freunden – oder sogar der Liebe – vorzuziehen?

Ein ziemlich endgültiges Problem für geistig träge Philosophen

Die Definition von »Gültigkeit« im Sinne formaler Logik lautet folgendermaßen:

Eine philosophische Aussage ist gültig, wenn es umöglich ist, dass die Prämissen (Voraussetzungen) wahr, die Schlussfolgerungen aber falsch sein können.

Mit anderen Worten, wenn man ein Problem auf korrekte, logische Weise formuliert, kann man davon ausgehen, dass – wenn alle Voraussetzungen den Tatsachen entsprechen – auch die Schlussfolgerung wahr sein *muss*, da das Problem ja den Regeln der Logik gemäß auseinander gesetzt worden ist.

Ist dies ein guter Ausgangspunkt für solides, scharfes Denken?

Woher weiß ich, dass ich mich nicht mitten in einem Albtraum mit dem Namen *Der Friseur vom Hindukusch* befinde? Ein Albtraum von ungewöhlicher Länge, zugegeben, der sich mit bemerkenswerter Beständigkeit und Detailtreue fortsetzt – und sich immer weiter von der Realität entfernt? Woher weiß ich, dass ich nicht in die Fänge eines bösen Dämonen geraten bin, der versucht, mir etwas vorzugaukeln?

Oder bin ich vielleicht einem bösartigen Arzt ausgeliefert? Einem, der mein Gehirn nach einem schrecklichen Unfall (der bestimmt mit ein paar Drinks und Auto fahren zu tun hatte) gerettet hat und es nun als Teil eines entsetzlichen Experiments in einer chemischen Nährlösung aufbewahrt? Über bunte Drähte führt er meinem Gehirn virtuelle Sinneswahrnehmungen zu: Die violetten sind für das Hören zuständig, die schwarzen für Berührungen, gelb für Geschmack, blau für das Sehen ...?

Die Frage danach, wie man zu Frage Nr. 99 gelangen kann (unbeantwortet)

Nun gibt es sicherlich eine ganze Reihe philosophischer Fragestellungen. Je genauer man hinsieht, desto mehr werden es. Fragen so weit das Auge reicht. Und die meisten sind unbeantwortet. Natürlich könnte man mit Hilfe von leistungsstarken Computern, Kränen und Teleskopen berechnen, wie schwerwiegend diese Probleme insgesamt wären. Oder wie lang, wenn man sie aufreihen würde. Oder wir könnten uns die Probleme aus der Nähe betrachten und feststellen, woraus sie bestehen. Computer können uns heute praktisch alles abnehmen, jedenfalls bestimmt alles Wichtige. Außer vielleicht philosophische Fragen beantworten.

Das Problem mit philosophischen Fragen ist nämlich, dass es keine korrekten Antworten gibt.

Ist das wirklich das Problem mit philosophischen Fragen?

99 **Der Sinn des Lebens**

Herr Megasoft hat ein Buch über das Wesen der Existenz gelesen. In dem Buch steht, dass der Sinn des Lebens schlicht darin besteht, sein »genetisches Material« durch Sexualität weiterzugeben und sich fortzupflanzen.

Es gibt einige Indizien, die für eine solche Sicht sprechen. Erstens ist der Sexualtrieb sehr stark, und er scheint überwiegend der Produktion von Nachkommen zu dienen. Zweitens neigt zumindest ein Teil der Menschheit dazu, sich um den Nachwuchs zu kümmern und sich für ihn aufzuopfern – ein Verhalten, dass nur als Investition in die Zukunft des eigenen Genmaterials verstanden werden kann. (Selbstlosigkeit kommt hier sicher nicht ins Spiel, denn fremde Kinder wecken äußerst selten dasselbe Interesse.) Dieses Verhalten ist offensichtlich durch die »egoistischen Gene« vorprogrammiert.

Herr Megasoft hält dies für eine sehr gute Erklärung dafür, warum wir leben und was der Sinn des Ganzen sein soll. Auch der Rest unseres Verhaltens – Fußball, Kunst, das Töten anderer Menschen (und ihrer Kinder) – kann damit ohne weiteres erklärt werden. Nicht zuletzt ist es unsere Bestimmung, zu sterben, kurz nachdem die Kinder erwachsen geworden sind und uns nicht mehr brauchen. Keine sehr angenehme Vorstellung, aber irgendwie logisch.

Herr Megasoft nimmt seine Verantwortung, seine Gene weiterzugeben, sehr ernst. Deshalb richtet er in seiner Firma eine geheime Abteilung ein, in der seine DNS einer nicht befruchteten Eizelle seiner Lebensgefährtin Charlotte eingepflanzt werden soll. (Aus Taktgefühl verschweigt er ihr, dass dafür ihr eigener genetischer Code entfernt werden muss.) Die Eizelle wird daraufhin tiefgefroren und in einem solarbetriebenen Behälter aufbewahrt, der sich in einem der Kommunikationssatelliten der Firma Megasoft befindet. Er soll mit einem Mini-Raumschiff in die Unendlichkeit des Weltalls geschossen werden.

Herr Megasoft glaubt, dass sein genetischer Code so alle anderen überdauern wird. Es wäre nun kein größeres Unglück, wenn die Menschheit jetzt aussterben würde.

Es gibt bei dieser Theorie nur ein Problem, was den Sinn unserer Existenz angeht: Wenn dieser nur darin besteht, dass wir unseren genetischen Code weitergeben ...

Worin besteht dann der Sinn des genetischen Codes?

Erörterungen

»Der gestrenge Richter« ist eine Variation des Problems »Alle Kreter sind Lügner«, das Philosophen wie Aristoteles, Zenon und Thomas von Aquin lange beschäftigt hat. Das Problem geht auf den griechischen Philosophen Epimenides zurück, der behauptet haben soll, dass die Einwohner Kretas ausnahmslos lügen. Seine Behauptung trug nicht nur rassistische Züge, sondern wurde zu einem berühmten Beispiel einer logischen Paradoxie, da er selbst aus Kreta stammte. Sollte seine Aussage stimmen, hatte Epimenides gelogen, wenn es aber eine Lüge gewesen war, dann ... Der Wahrheitsgehalt der Behauptung beeinflusst die Umstände, unter denen sie geäußert wird, die wiederum den Wahrheitsgehalt der Behauptung beeinflussen, der wiederum ... – ein Teufelskreis. Tatsächlich ist die Behauptung weder wahr noch falsch, obwohl es so aussieht, als müsste sie es sein. Anders verhält es sich mit Äußerungen wie »Hallo Viktor«, die nicht auf ihren »Wahrheitsgehalt« hin überprüft werden müssen.

Was könnte also der gefangene Philosoph gesagt haben, um seinen Kopf aus der Schlinge zu ziehen? So etwas wie »Ihr werdet mich Morgen hängen«, dürfte ausgereicht haben, um ihn vor dem Galgen zu retten. Der Scharfrichter kann ihn nicht hinrichten, da seine Verwandten ihn dann zur Rechenschaft ziehen würden, denn der Philosoph hatte schließlich die Wahrheit gesprochen, als er sagte: »Ihr werdet mich Morgen hängen«, und die Exekution war deshalb unrechtmäßig. Hätte der Scharfrichter andererseits das Problem erkannt und den Philosophen wieder ins Gefängnis gesteckt, müsste er ihn eigentlich gleich wieder zurückholen, denn der Direktor würde ihn gar nicht einlassen. Jener wäre nämlich der Ansicht, dass der Philosoph das Gericht ganz offensichtlich wieder angelogen hat und die Hinrichtung deshalb vollstreckt werden muss.

Zu Rätsel 2
Die Kuh auf der Weide

Viele Leute würden sagen, dass wir unter Berücksichtigung menschlicher Schwächen dann etwas wissen, wenn:

- wir glauben, dass es so ist;
- wir einen guten, relevanten Grund für unsere Überzeugung haben;
- und dieser sich als wahr erweist.

Wissen definiert sich demnach als »gerechtfertigte und wahre Überzeugung«. Im Fall von Bauer Huber sind alle Bedingungen erfüllt, und dennoch scheint er nicht wirklich genau zu wissen, wo sich Lotte befindet. Dieses Problem findet sich in ähnlicher Form auch in Platos *Theätet* (201c-210d). Es hat Philosophen bis heute beschäftigt, besonders seit im 20. Jahrhundert die »analytische« Philosophie aufgekommen ist. In unserem Beispiel hat Bauer Huber

- geglaubt, dass es der Kuh gut geht;
- Beweise gehabt, die seinen Glauben bestätigten (seine Vermutung war berechtigt);
- schlussendlich damit Recht gehabt, dass es der Kuh gut ging.

Trotzdem könnten wir darauf beharren, dass er es nicht wirklich *wusste*. Daraus folgt, dass hier vielleicht eine veränderte Definition des Begriffs »Wissen« erforderlich ist. Obwohl Wissen grundsätzlich auf gerechtfertigten und wahren Überzeugungen beruht, bedingt nicht jede gerechtfertigte und wahre Überzeugung auch Wissen. Viele Philosophen sind der Ansicht, dass es hier einer *komplizierteren*(!) Erklärung bedürfe, um das Gegenbeispiel umgehen zu können.

Die Behauptung, dass diese drei Bedingungen »nicht hinreichend« sind, brachte ein paar Philosophen auf die Idee, ihnen eine weitere hinzuzufügen: Wissen kann nicht auf fälschlichem Glauben beruhen. Das aber kommt einer Tautologie ziemlich nahe (Tautologien sind übrigens die bevorzugte Zuflucht des Philosophen).

Andere Philosophen versuchten dagegen, die erste Bedingung zu streichen und somit *Wissen* auch ohne *Glauben* zu ermöglichen. Wieder andere versuchten, Wissen von einem anderen Kriterium als Glauben abhängig zu machen, nämlich von der so genannten »Akzeptanz«, was immer das sein mag ...

Das Problem absoluter Gewissheit ist die Basis für einen großen Teil der westlichen Philosophie, die von den alten Griechen begründet und von René Descartes auf den Punkt gebracht wurde (siehe Frage 99), als er im 16. Jahrhundert in seinem Zimmer mit Ofenheizung sinnierte. Er hatte geglaubt, die Antwort in der Gewissheit seiner eigenen Existenz als denkendes Wesen gefunden zu haben, die sich durch den berühmten Ausspruch *Cogito, ergo sum* (Ich denke, also bin ich) definiert. Das war nach Descartes Ansicht etwas, das er mit absoluter Sicherheit wusste und nicht nur glaubte.

Zu Rätsel 3
Das Problem des Protagoras

Dies ist in jeder Hinsicht ein »klassisches« Problem, wie es die alten Griechen besonders gern hatten. Es gibt hier keinen »Trick«, jedenfalls hat bis jetzt noch niemand einen entdeckt.

Das Paradoxe daran ist, dass beide Argumentationsketten korrekt zu sein scheinen, aber zu gegensätzlichen Schlussfolgerungen führen. Weder Euathlos noch Protagoras begehen einen Denkfehler, aber trotzdem können nicht beide Recht haben. Damit wird die Logik an sich in Frage gestellt, die doch die Basis für den Großteil unseres Denkens ist. Deshalb hielten die Griechen solche Probleme für besonders interessant.

Zu Rätsel 4
Der Friseur vom Hindukusch

Der Barbier wurde durch den Gedanken an seine eigenen Haare erschreckt. Was er auch tut, er muss eine der Regeln brechen.

Das »Barbierproblem«, wie es auch genannt wird, ist die Variation eines sehr alten Problems, das Anfang des letzten Jahrhunderts von Bertrand Russell wiederentdeckt wurde und seitdem große Aufmerksamkeit erregt. Russell spricht in seiner etwas ungelenken Zusammenfassung von der »Menge aller Mengen, die sich selbst nicht als Element enthalten« und fragt: »Ist diese Menge ein Element ihrer selbst?« Die Konsequenzen dieses Problems nicht nur für die Logik, sondern auch für die Mathematik und selbst für die Alltagssprache verstörten ihn so sehr, dass er sein Lebenswerk für zerstört hielt und wochenlang kaum essen und schlafen konnte, wie in seiner Autobiografie nachzulesen ist. Er schickte das Problem seinem Kollegen, dem Mathematik-Philosophen Gottlob Frege, der eine »Erschütterung« der Arithmetik zugestand.

Es sind eine ganze Reihe von Lösungsvorschlägen gemacht worden. Einer davon lautet, dass der Barbier versuchen sollte, die Wächter mit ein paar geschickten Argumenten zu verwirren, ein anderer, dass der Barbier sich selbst einen so großen Schock zufügen sollte, dass ihm alle Haare ausfallen. Beide Vorschläge gehen jedoch am Kern der Sache vorbei.

In seinem Werk *Principia Mathematica* unternimmt Russell den Versuch, Lösungen für nicht weniger als sieben Variationen dieses Problems zu finden, und überarbeitet seine Formulierung noch einmal: Ist die Menge aller Mengen, die nicht Teil ihrer selbst sind, Teil ihrer selbst oder nicht, und wenn sie es nicht ist, ist sie es dann? Diese Fragestellung ist zwar bewundernswert präzise, löst aber den Widerspruch nicht wirklich auf. Russell griff daher zu einem drastischen Mittel und verlangte, dass alle Aussagen, die sich auf sich selbst beziehen, »verboten« oder zumindest als bedeutungslos angesehen werden sollten. Leider gibt es sehr viele selbstreferenzielle Aussagen, die teilweise genau dadurch ihre Bedeutung erhalten.

Oder noch schlimmer, wenn der Rabe nun aufgrund der Krankheit grün bleibt? Alles Nicht-Schwarze ist kein Rabe ...

Das Problem ähnelt prinzipiell der Behauptung, »alle Schwäne sind weiß«, die auch lange Zeit als wahr angesehen wurde, bis man allerdings äußerst lebendige schwarze Schwäne in Australien entdeckte. Daran kann man sehen, dass selbst ein so ernsthaftes Problem wie dieses eine gewisse Verbindung zur Realität haben kann. Damit solche unangenehmen Überraschungen künftig ausbleiben, diskutieren viele Philosophen seither lieber darüber, ob alle Junggesellen unverheiratete Männer sind, ob 2+2=4 ergibt oder ob Wasser ausschließlich aus Molekülen mit einem Sauerstoff- und zwei Wasserstoffatomen besteht (siehe auch die Erörterungen zu den Fragen 60–71). Die Diskussion konzentriert sich dann darauf, ob die Begriffe analytisch oder synthetisch verwendet werden, also entweder *a priori* oder *a posteriori** wahr sind und so weiter. Die Forscher können also mit ihren zaghaften, empirischen Studien über die Welt fortfahren. Der kaiserliche Philosoph müsste also versuchen, eine »induktive« Frage in eine »begriffliche« umzuwandeln. Aber was ist nun mit dem grünen Raben? Nun, er ist wahrscheinlich – *a posteriori* – ein synthetischer Rabe. (Das kommt einem philosophischen Scherz schon ziemlich nahe ...)

Anna wird erwägen, dass Dr. Schröder beiden nichts nachweisen kann, wenn sie und Annette die Tat leugnen. Wenn Annette jedoch gesteht, Anna hingegen nicht, wird sie von der Schule verwiesen!

---

* Ich verwende diese Begriffe hier im Geiste derer, die sie in die Philosophie eingeführt haben: um den Leser zu verwirren.

Am sichersten wäre es also wohl, den Diebstahl zu gestehen und das Ende des Semesters abzuwarten.

Dies ist tatsächlich der Gedankengang eines Schuldigen, der sich in einer vergleichbaren Situation befindet. Solange die Schuldigen sich nicht mit ihren Komplizen absprechen und Schweigen vereinbaren können, werden sie versuchen, ihre Strafe durch Geständnisse zu mildern – obwohl sie wissen, dass die beste Lösung bedingt, genau dies nicht zu tun. (Natürlich können *unschuldig* Angeklagte sich vollkommen irrational verhalten und sich dadurch viel mehr Ärger einhandeln, als ein Geständnis ihnen eingebracht hätte.)

Dieses Problem wurde 1951 erstmals von dem Amerikaner Merrill Flood dargestellt. Seitdem hat das »Gefangenen-Dilemma« eine kontroverse Diskussion über das Wesen der Rationalität ausgelöst und zur Bildung eines neuen Studienzweigs geführt: der »Spieltheorie«. Sie beschäftigt sich zum Beispiel mit Situationen wie der zweier Atommächte im Rüstungswettlauf, die beide großen Vorteil daraus zögen, keine weitere Aufrüstung zu betreiben. Eine einseitig abrüstende Macht geriete jedoch in eine sehr ungünstige Position. Die Geschichte des letzten Jahrhunderts zeigt, dass sich, wie in unserem Beispiel, häufig ein Mittelweg durchsetzt: Beide Mächte geben Unsummen für die Aufrüstung aus, ohne sich dadurch den geringsten militärischen Vorteil verschaffen zu können. Abhilfe kann hier nur Kommunikation schaffen, denn Vertrauen kann dem Problem seine Schärfe nehmen.

Zu Rätsel 7
Die nicht angekündigte Klassenarbeit

Ähnlich wie bei »Achilles und die Schildkröte« findet sich auch hier kein Fehler in der Beweisführung, nur funktioniert sie leider nicht. Jeder Schritt in Patrizias Argumentation ist korrekt, auch die Schlussfolgerung, aber zum Unglück für alle Schulklassen dieser Welt bleibt sie Theorie und lässt sich im realen Leben nicht anwenden!

Die Frage ist hier, welches der drei Schiffe die echte »Donnerbug« ist: das Ausstellungsstück, das Schiff im Hafen – oder das in der Vorstellung des Ingenieurs? Oder vielleicht noch ein anderes?

Wir haben es hier mit derselben Form von Problem zu tun, die sich bei der Frage stellt, wie viele Sandkörner man für einen »Haufen« Sand benötigt. Zusätzlich wird hier aber auch noch die Frage nach der »Identität« aufgeworfen, was auch immer das sein mag! Sie mögen es vielleicht einfach finden, die Sandkornmenge zumindest zu schätzen, aber wenn Sie Korn für Korn vorgehen, wird deutlich, dass es keine bestimmbare Mindestmenge gibt. (Stellen Sie sich dabei vor, Sie würden für jedes überflüssige Sandkorn bestraft!) »Ungenaues Denken« ist eine Spezialität des Menschen; dabei argumentiert er mit mangelhaften Informationen, um zu einem Ergebnis zu gelangen. Wenn es dann um Schlussfolgerungen geht, verlässt sich jeder Mensch auf einen ehernen Grundsatz: Es gibt einen Unterschied zwischen dem, was ist, und dem, was nicht ist. Da es also unmöglich ist, die Anzahl von 10-Pfennig-Stücken zu bestimmen, die einen Bettler zum reichen Mann machen, oder wie viele Sandkörner nötig sind, um von einem Haufen zu sprechen, kann man ebenso wenig erklären, wann Blau nicht Grün ist oder wann ein Zentimeter wirklich ein Zentimeter ist und so weiter. Das ist noch schlimmer als die Behauptung, all unser Denken basiere auf Annahmen – denn womit sollte man diese Annahmen vergleichen?

Zu Rätsel 9
Der Satz

Schon im alten Griechenland (wenn nicht früher) sorgte das »Lügnerparadox« für großes Erstaunen und ernsthafte Besorgnis. Im Grunde geht es wieder um die Behauptung »Alle Kreter sind Lügner«, die dann problematisch wird, wenn ein Einwohner Kretas sie aufstellt (siehe auch die Erörterung der Frage 1).

Zu Rätsel 10
Das Problem der Gesellschaft für nutzlose Informationen

Das Problem ist hier, dass jede Information der Bewerber, und mag sie auch noch so nutzlos sein – manche Informationen waren tatsächlich äußerst nutzlos, wie etwa abgelehnte Gesetzesvorschläge des Stadtrats oder einzelne Seiten aus zweitklassigen Logik-Lehrbüchern (teilweise sogar die ganzen Bücher!) –, doch einen gewissen Nutzen besitzt, wenn man dadurch in die Gesellschaft eintreten darf. (Geht vermutlich auf Brenda Almond zurück.)

Zu Rätsel 11/12
Diktatia I und II

Ein derartiges Dilemma taucht auch in der Realität auf. Man denke nur an die Zeit der Naziherrschaft, in der nach Anschlägen der Widerstandsbewegung ganze Gruppen von Verdächtigen festgenommen und auf ähnliche Weise unter Druck gesetzt wurden. So mancher sieht dieses Problem als rein mathematisches an – entweder sterben alle dreißig oder nur zwei Personen. Andere halten jedoch dagegen, dass auch auf mathematischer Ebene die Antwort nicht so einfach ist. Geht man nämlich auf das Angebot der Regierung ein, gibt man ihnen die legale Handhabe für zukünftige Ungerechtigkeiten ungeahnten Ausmaßes. Andere würden argumentieren, dass es grundsätzlich falsch ist, Menschenleben zu opfern, unabhängig von Kalkulationen und Konsequenzen.

Das Problem des »Relativismus« erschwert jeden Versuch, richtig und falsch zu definieren. Marx hielt die Moral bekanntlich ausschließlich für das Produkt eines falschen Bewusstseins, das von den herrschenden Klassen genährt werde.

Auch die Griechen erkannten das Problem. Es taucht zum Beispiel bei Platos *Der Staat* auf. Sokrates führt dort eine heftige Diskussion mit Thrasymachos, der im Gegensatz zu Sokrates' vielleicht etwas naiver und idealistischer Ansicht darauf besteht, dass Gerechtigkeit immer den Interessen des Stärkeren zuträglich ist. An anderer Stelle behandelt Sokrates die Ansicht des Protagoras, »der Mensch sei das Maß aller Dinge«. Trotz Sokrates' Bemühungen haben Thrasymachos und Protagoras viele moderne Nachfolger gefunden, und Anthropologen sprechen gerne von »Kulturrelativismus«. Man darf nicht unterschätzen, wie sehr unsere Vorstellung von »richtig« und »falsch« von gesellschaftlichen Einflüssen und Prägungen abhängen.

Shang Yang, einer der größten chinesischen Philosophen, versuchte die Relativität der Moral am Beispiel des Tötens zu illustrieren. Wenn es prinzipiell falsch war, zu töten, wie einige Weise behaupteten, war es dann auch falsch, einen Hasen zu erlegen, um sich selbst vor dem Hungertod zu bewahren? Doch sicher nicht. Vielleicht war es aber grundsätzlich falsch, einen anderen Menschen zu töten? Aber was, wenn dieser Mensch ein Räuber wäre, der eine Familie töten und ausrauben will? Wenn es der einzige Weg wäre, ihn davon abzuhalten, wäre diese Tötung doch gerechtfertigt?

Moral hängt vom Zusammenhang und von der Situation ab und ist deshalb relativ. Shang bewies außerdem, dass nicht nur Moral und Ästhetik, sondern jede Form von Wissen vom Kontext abhängt und somit relativ ist. Seine hieb- und stichfeste Argumentation verlief so:

»Ich, Chuang Chou, träumte eines Nachts, ein glücklicher Schmetterling zu sein. Ich wusste, dass ich sehr glücklich war, aber ich wusste nicht, dass ich Chou war. Plötzlich wachte ich auf und sah, ich war Chou. Ich weiß nicht, ob Chou geträumt hatte, ein Schmetterling zu sein, oder ob der Schmetterling nun träumte, Chou zu sein.« Seine Schlussfolgerung war, dass es unser Ziel sein muss, Unterschiede wie diese zu durchdringen (siehe auch Schopenhauer, Fragen 95/96)

Zu Rätsel 14/15
Der Hund und der Professor I und II

Rückblickend scheint die Antwort eindeutig, aber in der Situation selbst gilt es zu entscheiden, ob der Professor die absolute Verpflichtung hat, das Leben des Hundes zu retten oder nicht. Wenn es eine absolute Verpflichtung war, dann musste er natürlich den Hund retten, selbst wenn er nicht auf dem Weg zu seiner Vorlesung, sondern ein Chirurg auf dem Weg zu einer Operation gewesen wäre. Das ist nicht so leicht zu akzeptieren.

Wenn es sich nicht um eine absolute Verpflichtung handelte, wäre es aber spätestens ab der vierten oder fünften Woche, in der der Professor in den Teich watet, sicherlich zu Unstimmigkeiten zwischen dem Professor und dem Direktor beziehungsweise den Studenten hinsichtlich seiner Auffassung von Pflichterfüllung gekommen.

Man kann jedoch darüber diskutieren, dass Professor Pörpel dem emotionalen Aspekt der Entscheidungsfindung zu wenig Bedeutung beimisst. Die Tatsache, dass dieser Aspekt weder vorhersehbar noch richtig abzuschätzen noch gleichbleibend ist, worüber er sich bestimmt beklagen würde, bedeutet noch nicht, dass er weniger wichtig ist. David Hume, ein berühmter Philosoph des 18. Jahrhunderts, versuchte, den Begriff »Sympathie« zum Kernstück seiner Moraltheorie zu machen, bevor er seine Bestrebungen aufgab, Moral wissenschaftlich zu erklären. Einen solchen Versuch hielt er für sinnlos, seit er erkannt hatte, dass »aus einem Sein kein Sollen folgt«, das heißt, dass wir alle uns früher oder später bei unseren Entscheidungen durch Gefühle leiten lassen.

Zu Rätsel 16/17
Das Verlorene Königreich von Marjon I und II

In dieser Diskussion spielen mehrere ethische Grundsätze eine Rolle. Aus einem gesunden Sinn für Gerechtigkeit heraus könnte man etwa beklagen, dass manche Menschen mehr haben als sie brauchen, während andere Mangel leiden. An den bestehenden Verhältnissen ändert dieses Unbehagen allein jedoch noch nichts. Aber Sarkasmus beiseite, der Vorsitzende hat vielleicht Recht, wenn er sagt, dass zum Wohl der Allgemeinheit sowohl reichen als auch armen Bürgern Anreize geschaffen werden müssen. Die Überlegung der Kritiker, die Erträge anders zu verteilen, ist möglicherweise etwas kurzsichtig und illusorisch. Das »Recht« der Armen, nicht zu hungern, steht dem »Recht« der Mehrheit auf Freiheit diametral gegenüber.

Die Marjonier haben es hier mit einem typischen Problem zu tun: Das System funktioniert ausgezeichnet, solange es keine Schwierigkeiten gibt, wird aber ungerecht und geradezu despotisch, sobald Probleme auftreten. Gerade in schwierigen Zeiten zeigt sich, ob sich Regierte regieren lassen.

Die Vorstellung, dass das Volk in einer solchen Pflicht steht, findet sich zum Beispiel in dem imaginären »Gesellschaftsvertrag« des Philosophen Thomas Hobbes. Hobbes merkte an, dass die Natur keine Gesetze kennt und keine Unterscheidung zwischen Gut und Böse trifft. Allerdings ist das Leben in der Natur »ekelhaft, tierisch und kurz«. Deshalb hielt es Hobbes, der während des Englischen Bürgerkriegs lebte, für besser, dass der Einzelne im Notfall auf sein Recht, selbst zu bestimmen, was für ihn das Beste sei, verzichtet und – falls notwendig – auch unter einem Diktator lebt, als dass die staatliche Autorität untergraben wird. Er ging davon aus, dass ein Diktator weniger Schaden anrichten könne als eine anarchische Gesellschaft. Dem hielt ein Jahrhundert später John Locke – der allgemein als geistiger Vater der amerikanischen Verfassung angesehen wird – entgegen, dass ein solcher Gesellschaftsvertrag für die Menschen schlimmer sei als jener »Naturzustand«, vor dem sie eigentlich geschützt werden sollten, da sie damit der Willkür der Obrigkeit ausgesetzt wären. Wer, so fragte Locke, würde denn einen Vertrag unterschreiben, der ihn vor »Iltissen und Füchsen« schützt, wenn er sich dafür »den Löwen ausliefern« muss?

Der wirtschaftliche Erfolg liberaler Demokratien mit ihrem »unnatürlichen« Grundsatz, dass alle Menschen gleich sind, hat zur weitgehenden Anerkennung der Vorstellung geführt, dass jeder Mensch unveräußerliche politische Rechte besitzt.

Zu Rätsel 18–20
Das Verlorene Königreich und die lästige Mückenplage I, II und III

Nach ein paar Wochen sind einige Bürger durch das Kauen der Blätter zu Tode gekommen, darunter auch der, der sich während der Versammlung zu Wort gemeldet hatte. Die Mehrheit der Marjonier ist jedoch jetzt immun. Die Immunisierung scheint also prinzipiell gerechtfertigt zu sein, und doch dürfte so mancher einen nagenden Zweifel verspüren ...

Wie bei vielen ethischen Problemen hängen auch hier die unterschiedlichen Argumente auf komplexe Weise zusammen. Der zeitgenössische amerikanische Philosoph John Rawls hat darauf hingewiesen, dass man nur dann gerechte und vernünftige Entscheidungen treffen kann, wenn keine persönlichen Interessen von der Entscheidung berührt werden. Die Frage der Bewässerung kann also am besten von einem Außenstehenden getroffen werden (das Grundprinzip des Utilitarismus), der das Wohl der Allgemeinheit gegen die Freiheit des Einzelnen aufwiegen kann. Das größte Problem besteht darin, dass einige Leute glauben, mit einer Wiederansteckung ein geringeres Risiko einzugehen als mit dem Kauen der Blätter. Rein rechnerisch ist die Gefahr, nach dem Verzehr der Blätter zu sterben, viel kleiner, als durch die Krankheit dahingerafft zu werden (1:20 beziehungsweise 2:3). Von einem objektiven Standpunkt aus ist das Programm also notwendig. Wüßten wir jedoch von vorneherein, wer die Krankheit überlebt, wäre es unethisch, diese Personen einem tödlichen Risiko auszusetzen, das ihnen keinerlei Nutzen bringt. Für die Majoraner ist die einzige Lösung, einzusehen, dass selbst die, die gegen die Krankheit immun sind, ein so hohes Risiko auf sich nehmen müssen, um der Mehrheit zu helfen – zu denen ja auch ihre Freunde und Verwandten gehören.

Solche Fragen stellen sich zum Beispiel in Schulen, die Impfungen durchführen lassen, welche für einzelne Schüler zwar Risiken bergen, aber die Gesamtheit der Schüler schützen.

Zu Rätsel 21–23
Neu-Diktatia I, II und III

Das Leben schreibt doch die merkwürdigsten Geschichten ...

Zu Rätsel 24
Die verbogene Münze

Matthias hat nicht nur Glück, sondern auch noch Recht. Bei jedem Wurf liegt die Wahrscheinlichkeit, dass »Kopf« bzw. »Zahl« kommt, bei 50 Prozent, denn Münzen sind unbestechlich und gerecht. Man kann dies auch experimentell nachweisen, indem man eine Münze 1 000-mal wirft und mitzählt, ob beide Seiten etwa gleich oft oben liegen – oder eben nicht. Aber selbst wenn viele Male hintereinander »Kopf« oben liegt, bedeutet das nicht, dass nun endlich »Zahl« folgen muss. Je öfter wir die Münze werfen, desto wahrscheinlicher erscheint uns dies zwar, aber es besteht keinerlei Gesetzmäßigkeit, solange wir die Münze nicht unendlich oft werfen. Die Münze ist keineswegs verbogen: Lutz hat einfach

Pech. Das Universum kümmert es reichlich wenig, ob 20-mal hintereinander »Kopf« fällt.

In *Rosenkrantz und Güldenstern sind tot* beschreibt Tom Stoppard eine Diskussion zwischen Rosenkrantz und Güldenstern über eine Münzwette, in deren Verlauf 90-mal hintereinander »Kopf« gefallen war. Güldenstern, der beharrlich auf Zahl gesetzt und verloren hat, hätte natürlich wie Lutz zwischendurch wechseln können, aber das heisst noch lange nicht, dass er nicht weiter hätte verlieren können. Ist das weniger »unwahrscheinlich«? (Es handelt sich hier um ein psychologisches Vorurteil, das auch als »Trugschluss des Spielers« bekannt ist.)

Haben diese Münzwetten für uns eine Bedeutung? Nun, nehmen wir zum Beispiel ein Kernkraftwerk. Es gilt als sicher, solange es nicht zu einer Verkettung unglücklicher Umstände beziehungsweise Störungen kommt. Diese in Promille angegebenen Störfälle – ein Schraubenschlüssel fällt in den Reaktorkern, das Warnsystem funktioniert nicht, das zusätzliche Sicherheitssystem ist abgeschaltet, das Personal schläft und so weiter – werden miteinander multipliziert, sodass man eine sehr geringe Wahrscheinlichkeit für einen GAU errechnet, etwa 1:1 000 000 000. Im Gegensatz zu dem Münzwurf können wir eine solche Störsituation aber nicht beliebig oft wiederholen, damit die Rechnung aufgeht. Der Ernstfall ist ebenso wahrscheinlich wie jede andere der 1 000 000 000 Möglichkeiten!

Wenn Sie das noch nicht überzeugt, schauen Sie sich die folgende Rechnung an: Die Wahrscheinlichkeit, dass vier Whist-Spieler nach dem Geben die gesamten Karten je einer Farbe auf der Hand halten, liegt etwa bei 1:2 235 197 406 895 366 368 301 600 000. Horace Norton hat diese Rechnung 1939 am University College in London aufgestellt. Was soll man sich unter dieser Zahl vorstellen? Es ist so: Wenn eine Milliarde begeisterter Spieler eine Million Jahre lang je 100 Partien pro Tag spielen, auch an Sonn- und Feiertagen, liegt die Wahrscheinlichkeit immer noch bei einem Prozent. Dennoch ist dieser Fall bereits mehr als einmal eingetreten. So geschehen zum Beispiel im Januar 1998 im Bucklesham Village Whist Club. Nachdem Mrs. Hazel Ruffles (64) die Karten sorgfältig gemischt und gegeben hatte, sagte einer der Spieler zur Überraschung aller 13 Trümpfe an. Noch größer wurde das Erstaunen, als die anderen Spieler bemerkten, dass auch sie den vollständigen Satz einer Farbe auf der Hand hielten. Dasselbe galt natürlich für den verdeckten Kartensatz auf dem freien vierten Platz.

Und die Moral von der Geschicht': Neben einem Kernkraftwerk wohne nicht!

Zu Rätsel 25
Leben auf Sirius

Tja, nach dem Prinzip des unzureichenden Grundes stehen die Chancen tatsächlich 50:50.

Einige Bemerkungen zur Wahrscheinlichkeitstheorie.

Es gibt mehrere Möglichkeiten, die Wahrscheinlichkeit eines Ereignisses zu berechnen. Das ist ganz einfach, wenn man die Gesamtzahl der Möglichkeiten kennt und diese nur durch die Zahl der erfolgreichen Möglichkeiten teilen muss. Bei einem Kartenspiel mit 52 Karten ist die Wahrscheinlichkeit, beim Abheben das Herz-Ass zu erwischen, also 1:52. Die Wahrscheinlichkeit, irgendein Ass aufzudecken, liegt bei 1:13. Diese einfache Rechnung funktioniert, weil die Wahrscheinlichkeit des Aufdeckens bei jeder Karte gleich groß ist.

Wenn wir andererseits mit dem unglücklichen Vornamen Atomfried-Eitelwolf geschlagen sind (diese Vornamen gibt es tatsächlich) und eine Schule mit 1 000 Schülern besuchen, ist es mehr als unwahrscheinlich, dass wir dort jemanden mit demselben Namen treffen, selbst wenn in einer Gruppe von 1 000 Menschen statistisch gesehen jeder Vorname mindestens zweimal vorkommen müsste. Dr. Wellie spielt genau auf das Wissen um Wahrscheinlichkeit beziehungsweise Unwahrscheinlichkeit an, wenn er sagt, dass man ohne ausreichende Informationen zwei Möglichkeiten dieselbe Wahrscheinlichkeit beimessen *muss* – nämlich, dass etwas entweder existiert oder nicht existiert.

Mit solchen Berechnungen kann man interessante Dinge anstellen. So liegt zum Beispiel die Wahrscheinlichkeit, dass zwei Spieler zweier vollständiger Fußballteams (inklusive Schiedsrichter) am selben Tag Geburtstag haben, bei 50 Prozent. Damit kann man auf Parties sehr gut die Nicht-Mathematiker beeindrucken, denn nur oberflächlich gesehen ist ein solcher gemeinsamer Geburtstag innerhalb einer relativ kleinen Gruppe von Menschen (im Vergleich zur Anzahl der Tage eines Jahres) ein überraschender Zufall. Tatsächlich kann man diesen »Zufall« mit ziemlicher Sicherheit vorhersagen, wenn die Größe der Gruppe 30 Personen übersteigt.

Dies ist nur einer von vielen Fällen, in denen aus der Statistik geborene Wahrscheinlichkeiten uns zumindest sehr merkwürdig erscheinen.

Nehmen Sie etwa die Wahrscheinlichkeit, von einem Zug überfahren zu werden. Sie ist dankenswerterweise sehr gering. Trotzdem passieren die unglaublichsten Geschichten. 1991 wurde eine junge Frau in Italien von einem fahrenden Zug getötet. Vier Jahre später ereilte ihren Vater dasselbe Schicksal, auf *demselben* Bahnübergang, um *dieselbe* Uhrzeit und von *demselben* Lokführer.

Ein historisches Beispiel: 1833 schrieb der Schriftsteller Edgar Allen Poe eine Geschichte über drei Schiffbrüchige, die nur überlebten, weil sie den Kabinensteward aßen. Poe hatte dem Steward den Namen »Richard Parker« gegeben. 51 Jahre später wurden tatsächlich drei Schiffbrüchige gerettet. Sie hatten den Kabinensteward gegessen, um nicht zu verhungern. *Der Name des Stewards war Richard Parker.*

Eine (etwas) angenehmere Geschichte ist die von zwei besorgten Eltern, die während des Kriegs versucht hatten, ihre Tochter anzurufen, um sie vor dem nächsten Bombenangriff zu warnen. Sie verwählten sich und erreichten stattdessen einen völlig Fremden, der gerade seine Wohnung verlassen wollte. Noch während er am Telefon war, explodierte draußen vor der Tür eine Bombe, genau dort, wo sich der Angerufene befunden hätte, wäre er nicht ans Telefon gegangen.

Schließlich gibt es nachweislich Fälle wie den des abergläubischen Reisenden, der auf dem Flugplatz feststellte, dass sein Maskottchen, ein kleiner Elefant, in seiner Tasche zerdrückt worden war. Daraufhin verwarf er sofort seine Reisepläne und trat vom Flug zurück. Das Flugzeug stürzte später ab, es gab keine Überlebenden.

Zu Rätsel 26
Das unendliche Hotel

Obwohl man eigentlich zur Unendlichkeit nicht einfach eins addieren oder sie verdoppeln kann, entschied die Wettbewerbsaufsicht zugunsten von Harry, da sein unendlich langes Zimmerverzeichnis länger ist als das von Zake. Dass dies sein kann, zeigt sich schon dadurch, dass ja auch die Zahl der Zimmer mit Bad (jedes zwölfte) unendlich groß ist, es aber natürlich viel mehr Zimmer ohne als mit Bad gibt. Ferner ist die Zahl der Wasserhähne im *Hotel Unendlichkeit* größer als die Zahl der Zimmer, denn jedes Zimmer besitzt ein Waschbecken, eine Dusche und ein Bidet (die Wasserhähne an den Badewannen noch gar nicht mitgerechnet).

Zu Rätsel 27–30
Zenons Paradoxien

Zenon war ein Philosoph der griechischen Antike. Er lebte noch vor Aristoteles und Plato, und letzterer legte in seinen philosophischen Abhandlungen im 4. Jahrhundert vor unserer Zeitrechnung einige von Zenons Paradoxien Sokrates in den Mund.

Wie viele antike Philosophen beschäftigte sich auch der aus Elea (eine kleine griechische Kolonie 110 Kilometer von Neapel entfernt) stammende Zenon mit den Widersprüchlichkeiten, die uns im täglichen Leben begleiten.

Die »Eleatiker« (außer Zenon von Elea auch Parmenides von Elea und Melissos, Anm. d. Übers.) verschrieben sich dem Glauben, dass die sinnliche Welt illusionär sei und einer unveränderlichen, beständigen Realität gegenüberstehe. Zenon selbst hielt es jedoch mit der Ansicht des Parmenides, dass es nur ein einziges, unteilbares Universum gibt – eine sehr ungewöhnliche Auffassung, die damals wie heute großen Spott hervorrief. Zenons Paradoxien zielten also auf den Beweis ab, dass wir auch mit unserem ganzen gesunden Menschenverstand und all unseren peinlich genauen Denkprozessen zu unbefriedigenden Ergebnissen kommen können.

Es geht Zenon hier zuerst einmal darum, dass die Annahme, die Welt bestünde aus »Dingen« – und seien es die grundlegenden Materiebausteine, die Atome –, die von anderen »Dingen« unterschieden werden können, zu einer Reihe inakzeptabler Schlussfolgerungen führt. Wenn man die Welt nämlich in kleinste Abschnitte einteilt, kommt man zu dem Ergebnis, dass ein Körper (etwa der von Achilles) überhaupt nicht in der Lage ist, eine Strecke zu überwinden, auch wenn er sich noch so schnell bewegt. Auf der anderen Seite kann ein Körper eine unendlich weite Strecke zurücklegen, selbst wenn er sich mit unglaublicher Langsamkeit bewegt.

Zenons Überlegungen sind nur durch zufällig überlieferte Schriftstücke belegt, die zumeist von anderen Autoren verfasst wurden. Er soll jedoch auch die Frage aufgeworfen haben, ob man davon ausgehen kann, dass ein Pfeil in der Luft »stecken bleibt«, denn der Pfeil nimmt zu jedem Zeitpunkt einen bestimmten Raum ein, und wenn ein Zeitabschnitt aus einzelnen Zeitpunkten besteht, bedeutet das, dass der Pfeil im Grunde still steht. Ein ähnliches Beispiel bietet das Bild von zwei aufeinander treffenden Billardkugeln. Nehmen diese für einen Moment tatsächlich denselben Raum ein? Und wenn dies nicht der Fall ist, wie kann dann die Energie von einer auf die andere Kugel übertragen werden? Einige Philosophen haben darauf geantwortet: »Aha! Der Pfeil nimmt aber zu jedem Zeitpunkt einen anderen Raum ein.« Diese Aussage geht jedoch etwas an der Sache vorbei.

Zenons Bewegungsparadoxien werden tatsächlich seit 2000 Jahren von Philosophen widerlegt, die mathematisch-wissenschaftlichen Erklärungen von heute bilden da keine Ausnahme. Trotzdem werden sie bis heute besprochen, und zwar aus dem einfachen Grund, weil man sie nicht wegdiskutieren kann. Die Mathematik bietet zwar Lösungen für Probleme an, setzt sich jedoch in ihren theoretischen Grundlagen auf überhebliche Weise über Zeit und Bewegung hinweg und lässt somit die Realität außer Acht. So kann man in der Mathematik zum Beispiel die Rechnung $1 + ½ + ¼$, und so weiter unendlich weit fortsetzen und erhält den Grenzwert 2. Mathematisch ist diese Rechnung korrekt, basiert jedoch auf mathematischen Konventionen. Das zentrale Problem bleibt die Frage, ob die Realität ein Kontinuum unendlich kurzer Momente oder eine Aneinanderreihung einzelner Zeitabschnitte ist. In beiden Fällen tauchen nach Zenon Probleme auf: Achilles kann die Schildkröte nicht einholen, und der Pfeil ist in jedem Moment seines Flugs bewegungslos. Er würde sofort herunterfallen, wenn er das wüsste.

Zu Rätsel 28
Verschollen im Weltraum

Dieses Problem, von Zenon abstrakt diskutiert (und mit einer Frage versehen, die immer auftaucht, wenn die Unendlichkeit ins Spiel kommt), betrifft fundamentale Punkte der Physik, nicht nur der Astronomie. Für Newton war das Universum unendlich und unbegrenzt, während es für Einstein endlich, aber dennoch unbegrenzt war – diese Möglichkeit besteht für jeden Raum. Einstein wies darauf hin, dass Raumzeit sich nicht unbedingt um die Regeln der Geometrie kümmern muss.

Seit jeher hat die Vorstellung einer Alternative zur euklidischen Geometrie für großes Aufsehen gesorgt. Doch die Geometrie ist nichts Anderes als ein mathematisches System auf der Basis von zuvor festgelegten Annahmen. Ob man mit Hilfe dieses Systems auch das Universum beschreiben kann, bleibt fraglich. Selbst wenn eines Tages bewiesen wird, dass die Summe der Winkel in einem Dreieck nicht 180 Grad beträgt, wird man dies nie messen können.

Spielt das wirklich eine Rolle? Nun, vielleicht nicht für Sie oder mich. Die Zukunft des Universums hängt letztlich aber von der gewählten Geometrie ab. Ist diese »hyperbolisch«, dann wird sich das Universum für immer ausdehnen. Ist sie »euklidisch«, dann dehnt sich das Universum mit immer geringerer Geschwindigkeit aus, kommt aber dennoch nicht zum Stillstand. Haben wir es aber mit einer »elliptischen« Geometrie zu tun, dann wird die Ausdehnung eines Tages enden und das Universum wieder beginnen, zu schrumpfen, bis es irgendwann in sich selbst kollabiert und vielleicht wieder aufs Neue explodiert.

Auch die Altersbestimmung des Universums stellt ein Problem dar. Entweder hat das Universum einen Anfang – oder eben nicht. Das Problem dabei ist, wenn es einen Anfang gegeben hat, muss er aus dem Nichts entstanden sein, und was ist das Nichts, wenn es kein Etwas gibt? (Ist das nicht so, als würde man mit *einer* Hand klatschen?) Wenn das Universum aber schon immer existiert hat, muss es unendlich alt sein, und das bedeutet, dass es jeden Moment älter als unendlich alt wird, was sich wiederum nicht besonders logisch anhört.

Darin besteht auch die erste der vier Kantschen »Antinomien« beziehungsweise Widersprüche. Kant wartete nicht nur mit neuen Wortschöpfungen auf, mit denen er andere Philosophen beeindruckte (siehe die Fragen 68–70), sondern er folgte auch der Tradition Zenons, indem er aufzeigte, wie unsere normalen Denkprozesse uns in die Irre führen können.

**Zu Rätsel 29
Aufforderung zum Tanz**

Wenn die Endformation erreicht ist, haben die Schwarzwaldmädels doppelt so viele Hochschul-Hippies passiert wie Kasseler Katzen. Zenon schließt daraus, dass sie auch doppelt so viel Zeit benötigen. Tatsächlich erreichen die Mädels und die Hippies ihre Position aber zur selben Zeit. Hier liegt offensichtlich ein Zeitproblem vor.

Unsere Tänzer veranschaulichen das komplexe Problem, wie

zwei Reihen von Körpern die Gesetze der Physik widerlegen können, indem sie sich in unterschiedlichen Geschwindigkeiten zueinander bewegen. Dahinter steckt jedoch noch mehr.

Wenn eine Strecke aus einzelnen, voneinander trennbaren Teilabschnitten besteht – aus Punkten, Einheiten oder auch aus tanzenden Mädchen –, und die Zeit gleichermaßen eine Abfolge einzelner Momente ist, dann kann man die Bewegung nur messen, indem man die Zahl der Einheiten oder Mädchen (oder Katzen pro Hippie) zählt, die jede Einheit beziehungsweise jedes Mädchen zurücklegt.

Diese Reihen von Körpern sollen die absurden Konsequenzen aufzeigen, die aus unseren grundlegenden Annahmen über das Universum resultieren.

Versuchen Sie ruhig einmal, diese Probleme für sich selbst zu lösen. Wenn es Ihnen gelingt, dann sagen Sie Pythagoras Bescheid, denn für diesen Zeitgenossen hatte Zenon seine Paradoxien formuliert.

Zu Rätsel 30
Original und Fälschung

Das Bild selbst ist natürlich dasselbe geblieben. Wir müssen uns jedoch an den Gedanken gewöhnen, dass der Maler nicht einfach kopiert hat, sondern »Höheres« im Sinn hatte. Viele berühmte Bilder sind keine eigentlichen »Originale« – der Künstler kann sich an einen zeitgenössischen Stil halten oder selbst bereits einige ähnliche Zeichnungen entworfen haben. In unserer hochtechnisierten Zeit mit den Möglichkeiten, Kunstwerke mechanisch zu reproduzieren, wird der Unterschied zwischen Original und Fälschung ohnehin immer theoretischer.

In der Ästhetik – dem Zweig der Philosophie, der sich mit Schönheit und Kunst beschäftigt (der Begriff entstammt dem griechischen Ausdruck für »Wahrnehmung«) – debattiert man häufig, ob Schönheit eine objektive Größe ist, deren Einschätzung man erlernen kann, oder ob sie subjektiv und emotional ist, was bedeuten würde, dass jede Beurteilung gleich viel wert ist. Auf der einen Seite stehen die Nachfolger Platos, die glauben, dass Schönheit durch sich selbst existiert, oder, wie Sokrates es im *Phaidon* ausdrückte, »es liegt an der Schönheit, dass schöne Dinge schön sind.« Auf der anderen stehen die, deren Standpunkt etwa so wiedergegeben werden könnte: »Ich hab' zwar keine Ahnung, aber ich weiß, was mir gefällt.« Wenn Schönheit eine subjektive Größe ist, müssen wir dann nicht die Meinung der Mehrheit akzeptieren?

Eine Variation des Themas »die Existenz der Schönheit« ist die Auffassung, dass etwas gut Funktionierendes schöner ist als etwas, das nicht richtig funktioniert oder unnötige, ineffiziente Teile besitzt. Demzufolge ist zum Beispiel ein gesunder, durchtrainierter Mensch schöner als ein bleicher, kränkelnder und ein rechteckiger Betonbunker schöner als eine verschnörkelte Kathedrale aus dem Mittelalter mit all ihrem Zierrat, ihren Wasserspeiern und zu großen Fenstern. Der Bauhausstil aus dem frühen 20. Jahrhundert basierte auf dieser Auffassung und brachte einige interessante funktionelle, aber gelegentlich brutal anmutende Gegenstände hervor, zum Beispiel Lehnsessel, die ironischerweise so aussehen, als könnte kein Mensch in ihnen sitzen.

Die alten Griechen maßen der Schönheit so großen Wert bei, dass sie sie in den Schulen für die oberen Schichten zum Pflichtfach machten. Ihnen verdanken wir, dass »Kunst«, »Schauspiel« und »Musik« auch heute noch in vielen Schulen eine gewichtige Rolle spielen. Gleichzeitig haben sich all diese Kunstgattungen aber so stark weiterentwickelt, dass sie heute nicht mehr unbedingt den Anspruch erheben, »schöne Künste« zu sein. Künstler schaffen heute Objekte aus unappetitlichen Materialien, um zu »schockieren und zu provozieren«; Musiker schreiben Lieder, die aufrütteln oder zu Gewalttaten verführen sollen; Theater kommt heute am besten an, wenn es endlose Diskussionen und nette Grausamkeiten bietet, wie etwa die Seifenopern im Fernsehen. Da die Zuschauer Gefallen an solchen Hässlichkeiten finden, sind diese für sie »schön«. Oder ist eher Platos Befürchtung wahr geworden, dass die Menschen geistig verarmt und korrumpiert sind?

Ein anderes sonderbares Problem der Ästhetik ist die Frage, was einen Menschen schön macht. Ist es schön, blond zu sein, muskulös, fit und eher germanisch? Oder lieber klein, untersetzt und intellektuell? Mit der Figur eines Sumo-Ringers oder der eines Hochspringers? Sonnengebräunt, vornehm blass oder geheimnisvoll dunkel? Geformt wie eine Birne, ein Apfel oder eine Banane? Mit einer Haut wie ein Pfirsich, eine Aubergine oder ein Granatapfel? Plato ließ in seiner Weisheit Sokrates erklären, dass der Gesamteindruck entscheidend ist. Es ist nicht wichtig, das eine oder andere zu sein, sondern den eigenen Stil zu finden.

Die beiden russischen Künstler Vitaly Komar und Alexander Melamid eröffneten eine neue, interessante Perspektive: 1996 befragten sie Einwohner mehrerer Länder nach ihrer Auffassung von »hoher« und »niederer« Kunst, indem sie sie nach ihren Kriterien für »gute« Kunst fragten. Dann versuchten sie, den Umfrageergebnissen gemäß »typische« Bilder zu malen. Das Bild, das sich der Durchschnittsamerikaner ins Wohnzimmer hängen würde, zeigt ein (bekleidetes) Paar, das an einem lieblichen Seeufer entlang spaziert. Im Hintergrund tummeln sich einige Rehe.

Zu Rätsel 31–34
Von Briefmarken und Kartoffeln I–IV

Um den Wert einer Sache zu bestimmen, nimmt man häufig eine künstliche Unterscheidung zwischen dem Warenwert und einem diffusen moralischen beziehungsweise ideellen Wert vor. Künstlich ist diese Unterscheidung deshalb, weil der Warenwert durchaus von moralischen und ästhetischen Gesichtspunkten abhängt. Trotzdem hält sich aber hartnäckig die Überzeugung, der Preis etwa von Kartoffeln sei relativ stabil, während der Preis einer Briefmarke abhängig von Modetrends stark variieren könne und der Wert eines Menschen äußerst komplex und nicht mit Geld zu bestimmen sei.

Zu Rätsel 35–41
Paradoxe Bilderrätsel

Was auch immer die Philosophen uns weismachen wollen, wir wissen, dass die Realität real ist. Man kann sie anfassen, schmecken, sehen und so weiter. Aber auch dieser gesunde Menschenverstand ist nicht unfehlbar, wie die Abbildungen zeigen.

Nach Meinung von Psychologen stimmen unsere Erfahrungen nicht mit dem überein, was unsere Sinnesorgane uns übermitteln. Wir nehmen die Welt um uns herum als Folge von separaten Ereignissen in Raum und Zeit wahr. Unsere Sinne können Widersprüche und Brüche problemlos übergehen. Ein Beispiel dafür ist die Sprache. Wo wir einzelne Wörter und Sätze hören, zeigt eine oszillographische Analyse nahtlos ineinander übergehende Schallwellen. Pausen entstehen häufig mitten in Wörtern.

Wir schaffen uns ein stabiles Weltbild, obwohl sich unsere Sinneswahrnehmungen ständig ändern. Wenn wir durch einen Raum gehen, verschieben sich alle Objekte im Blickfeld ununterbrochen und verschwinden schließlich sogar – unser Gehirn korrigiert diese Beobachtungen jedoch und erweckt den Eindruck einer stabilen Umwelt. In unserem Gehirn laufen Prozesse ab, die Lücken auffüllen, das heißt, wir sehen und hören Dinge, die überhaupt nicht da sind. Ein typisches Beispiel dafür ist das »Dreieck« aus Frage 35. Gleichzeitig sehen wir Dinge nicht, die vorhanden sind, wie etwa in Frage 36. Diese Täuschung der Sinne diskutieren Philosophen schon seit langem anhand der Frage, warum wir eisig kaltes Wasser auf der Haut als heiß empfinden.

Zu Rätsel 35
Würfel und Dreieck

Die rechte Figur wird am ehesten als Würfel erkannt. Das Auge ist so stark von bestimmten Anhaltspunkten und Regeln abhängig, dass es schwer fällt, die linke Figur überhaupt als Würfel zu interpretieren. Im Falle des Dreiecks sind zwar die Anhaltspunkte vorhanden, nicht aber der Gegenstand selbst.

Zu Rätsel 36
Vorder- und Hintergrund

Sehen Sie eine Dame in Weiß oder zwei tanzende Mädchen mit Federboas? Dies ist eine Variation des berühmten Bilds des dänischen Psychologen Edgar Rubin, auf dem entweder zwei Köpfe oder eine Vase erkennbar sind. Psychologen gehen davon aus, dass unsere Wahrnehmung von der Funktionsweise unseres Gehirns abhängt. Visuelle Anhaltspunkte können sich unter Umständen widersprechen und verwirren. Was wir eben noch erkannt haben, ist beim nächsten Hinsehen verschwunden. Man beginnt, sich vor lauter Verwirrung unwohl zu fühlen, denn das Gehirn *mag* keine Bilder, die zwei Motive gleichzeitig aufweisen.

Zu Rätsel 37
Das dritte Bein

Die Hosennähte spielen Elvis einen Streich und lassen ihn glauben, er habe ein drittes Bein. Auch die beiden Gegenstände in seinen Händen sind unmöglich, sowohl der Stab als auch das Dreieck.

Hier haben wir es mit der höchsten Form künstlerischen Ausdrucks zu tun – dem Cartoon. Mit geringstem Aufwand und einem hohen Maß an Interpretation wird versucht, die Realität abzubilden. Nur mit ein paar zweidimensionalen Strichen und Schnörkeln wird eine ganze Geschichte erzählt.

In diesem Cartoon ist der wichtigste Kunstgriff das dritte Bein. Ebenso falsch ist jedoch der Eindruck, dass Elvis an Seilen aufgehängt sei (der Eindruck entsteht nur durch ein paar vertikale Linien), sowie die Lebendigkeit der Figur insgesamt.

Zu Rätsel 38
Der Stuhl

Durch das erste Schlüsselloch sieht man einen angedeuteten Stuhl. Das jedenfalls berichten die Teilnehmer. Dann bittet man sie, durch drei weitere Löcher zu schauen, durch die anscheinend derselbe Stuhl aus leicht veränderten Blickwinkeln zu sehen ist. Der Blick durch das fünfte Guckloch bringt eine große Überraschung: Der Stuhl ist verschwunden, statt seiner ist nur ein Wirrwarr von Strichen zu sehen.

Wäre der Stuhl durch das letzte Schlüsselloch nicht wieder sichtbar, würden die Versuchspersonen vielleicht glauben, dass er im Rahmen des Versuchs wohl zerstört wurde, aber beim Blick durch die anderen Schlüssellöcher zeigt sich, dass dies nicht der Fall ist.

Der Stuhl existiert die ganze Zeit nur in den Köpfen der Betrachter. Tatsächlich sieht man durch jedes einzelne Guckloch nur eine Ansammlung von Strichen. Ein Stuhl ist jedoch ein so alltäglicher Gegenstand, dass das Gehirn ihn ohne weiteres aus rudimentären visuellen Eindrücken zusammensetzen kann. Psychologen sprechen gerne davon, dass Wahrnehmung hauptsächlich aus der Aufstellung von Hypothesen besteht.

Zu Rätsel 39
Das Band mit dem Dreh

Jetzt scheint es nur noch eine Seite zu haben. Wenn man das Band aber der Länge nach durchschneidet, kann man die Seiten grün und schwarz einfärben. Außerdem ist es jetzt doppelt so lang.* Diese Figur wird häufig als »Möbius-Band« bezeichnet. Indem man etwa eine rechte und eine linke Hand auf das Band zeichnet und diese dann übereinander legt, kann man anhand des Bands demonstrie-

---

* Um ganz ehrlich zu sein, bin ich selbst bei diesem Versuch gescheitert. Die Schleife war jetzt zwar doppelt so groß, verdrehte sich aber noch weiter, statt sich zu glätten, wie ich erwartet hatte. Der geneigte Leser wende sich bitte an einen Experten in diesen Dingen (vielleicht an einen Grundschullehrer?).

ren, dass auch so etwas Grundlegendes wie Links- beziehungsweise Rechtshändigkeit rein topologische Größen sind, die man durch Zerschneiden des Bands umgehen kann.

Zu Rätsel 40
Die Flecken

Diese optische Täuschung wird auch als »Gitterillusion« bezeichnet – hässliche graue Flecken tauchen wie aus dem Nichts auf! Ursache dafür ist die Stimulation der Zäpfchen und Stäbchen in den Augen. Was wir sehen, hängt von der unmittelbaren Umgebung ab.

Zu Rätsel 41
Die bunte Scheibe

Kopieren Sie die Scheibe, schneiden Sie sie aus und stechen Sie ein Loch durch die Mitte. Stecken Sie einen spitzen Bleistift hindurch und drehen Sie die Scheibe so schnell es geht. Jetzt sind bunte Farben zu sehen. Auch unsere Farbwahrnehmung hat mit Bewegung zu tun. Psychologen fanden heraus, dass Personen, die sich in einem Raum befinden, der in unterschiedlichen Grautönen gehalten ist und von einer roten Glühbirne erhellt wird, an den Wänden auch Rot- und Grüntöne zu sehen glauben (so kann man eine ganze Menge Farbe sparen).

Die letzten Probleme mögen wie Spielereien wirken. Trotzdem wage ich zu behaupten, dass sie uns mehr über unsere Wahrnehmung sagen, als alle Werke von Kant, Hegel und Heidegger zusammen, wenn man sie zusammenrollt, aufspießt und dreht.

Zu Rätsel 42–45
Zeitprobleme

Zeitreisen sind ein faszinierendes Thema (siehe dazu auch »Zeit« im Glossar und »Elementare Probleme der Naturphilosophie«).

Deshalb sprechen Kernphysiker auch die ganze »Zeit« über »Wurmlöcher«. Ein Wurmloch ist eine natürliche Zeitmaschine, ein Bruch im Raum-Zeit-Kontinuum, der gerade groß genug ist, um subatomare Teilchen hindurchschlüpfen zu lassen. Man hat angeblich sogar schon Teilchen entdeckt, die sich mit Überlichtgeschwindigkeit fortbewegen und sich deshalb eigentlich rückwärts durch die Zeit bewegen müssten. Jedenfalls reisen wir ja alle durch die Zeit.

Zu Rätsel 43
Und die Zeit steht still

Wie Lucy richtig bemerkt, müsste man in der Lage sein, die Zeit langsamer vergehen zu lassen, sodass wir zum Beispiel nur einen Tag erleben, während die Welt tausend Jahre älter geworden ist. So erhielte man sicherlich eine ganz neue Sichtweise. Dr. Wenn hält dies offenbar für durchaus machbar, man benötigt dafür nicht viel mehr als ein Tieftemperaturlabor. Wir sind heute schon in der Lage, Embryos für unbestimmte Zeit einzufrieren und so ihre Fortentwicklung auszusetzen. Vielleicht ist das Gerücht, in kalifornischen Höhlen lägen tiefgefrorene »Schläfer«, gar nicht so weit hergeholt (auch wenn ihnen das wenig nützt). Dennoch scheint dies keine richtige Zeitreise zu sein. So lange man nicht in die Vergangenheit reisen kann, bietet das Labor keine zufrieden stellende Alternative.

Zu Rätsel 44
Der Mikrokosmos außerhalb unserer Zeit

Dr. Wenns Erklärung, warum er keine Zeitmaschine bauen kann, mit der man in die Vergangenheit reist, ist durchaus originell. Dann widerlegt er sich aber selbst, indem er behauptet, ihm sei genau das gelungen, wenn auch nur in einem Mikrokosmos. Wahrscheinlich zielt er darauf ab, dass die Zeit wie der Raum relativ ist. Obwohl man in der Zeit nur vorwärts geht, kann es gleichwohl möglich erscheinen, relativ zu etwas anderem in der Zeit rückwärts zu gehen. Das ist so, als säßen wir in einem Zug im Bahnhof, während der Zug auf dem Nachbargleis abfährt. Dabei kann der Eindruck entstehen, dass sich der »eigene« Zug rückwärts bewegt. Dieser Eindruck läßt sich nur durch einen Blick auf das stillstehende Gebäude widerlegen. Dr. Wenn geht es vermutlich darum, dass es in der Zeit keine Hintergrundgebäude gibt.

Die Geschichte hört sich vielleicht etwas seltsam an, aber stellen Sie sich einmal vor, eine Fernsehshow zu sehen, die am 1. Januar dieses Jahres ausgestrahlt wurde. Wenn sich Ihr Fernseher in einem Raumschiff befindet, das um den der Erde nächsten Stern kreist, werden Sie sie erst in vier Jahren sehen können. Oder werfen Sie einen Blick in den klaren Nachthimmel. Die Sterne, die Sie sehen, sind vielleicht schon vor Tausenden von Jahren erloschen – Sie sehen uraltes Licht.

Theoretische Physiker, die »Naturphilosophen der Gegenwart« (siehe auch Fragen 90–94), sprechen von viel merkwürdigeren Mikrokosmen, in denen die Zeit rückwärts läuft. In ihren Teilchenbeschleunigern teilen sich subatomare Teilchen in andere Partikel und fügen sich später wieder zusammen. Dabei wird entweder Energie frei oder verbraucht. Ein Lichtteilchen oder Photon, das sich vorwärts in der Zeit fortbewegt, teilt sich spontan in ein Positron und ein Elektron. Das Elektron bewegt sich weiter fort, während das Positron sich mit einem anderen Elektron verbindet und in einem Energieblitz ein neues Photon bildet. Mathematisch gesehen ändert sich an diesen Ereignissen auch dann nichts, wenn der Zeitvektor umgedreht wird und das Elektron sich rückwärts durch die Zeit bewegt. (Falls Sie die unterschiedlichen Teilchen nicht kennen, machen Sie sich nichts daraus. Physiker versuchen damit hauptsächlich, die Lücken in ihren Gleichungen zu füllen, die Existenz dieser Teilchen ist häufig umstritten.)

Zu Rätsel 45
Unzuverlässige Uhren

Das Problem ist, dass Herr Megasoft das Raum-Zeit-Kontinuum verschoben hat, wie es ein Physiker ausdrücken würde. Deshalb bekommt er auch sein Geld nicht zurück.

Seit man im 19. Jahrhundert entdeckt hat (siehe auch Frage 90), dass Licht sich mit konstanter Geschwindigkeit bewegt, und seit Einsteins Integration dieser Tatsache in seine Allgemeine Relativitätstheorie gilt allgemein als anerkannt, dass die Zeit von der Gravitation abhängt, auch von der speziellen Gravitation, die bei konstanter Beschleunigung auftritt. (Angeblich bleibt die Zeit im Zentrum eines Schwarzen Lochs sogar stehen, da dort die Gravitation so groß ist, dass nicht einmal Licht entweichen kann.) Auf seinen Flügen war Herr Megasoft beiden typischen Veränderungen des Raum-Zeit-Kontinuums ausgesetzt, kein Wunder also, dass seine Uhr nun anders geht.

Die ersten mit Cäsium betriebenen Atomuhren wurden in den fünfziger Jahren gebaut. Sie finden heute vielfach praktische Anwendung in der Navigation, so wie die Sechstanten in früherer Zeit. Erst 1971 testeten die beiden Wissenschaftler J. C. Hafele und Richard Keating die Uhren bei Flügen west- und ostwärts um den Globus herum. Sie fanden heraus, dass die Uhr auf dem westwärts gerichteten Flug danach nicht nur eine, sondern dramatische 273 Nanosekunden (das sind Milliardstel Sekunden) vorging. Dieses Ergebnis ist mathematisch nachweisbar und hat erstaunliche Konsequenzen. Wenn zum Beispiel der (fiktive) Zwillingsbruder von Herrn Megasoft mit einem Raumschiff zu einem anderen Stern flöge und 50 Jahre lang einer hohen Beschleunigung ausgesetzt würde, müsste er nach seiner Rückkehr leider feststellen, dass er physisch gesehen keinen Zwillingsbruder mehr hat – er wäre nämlich mehrere Jahre jünger! Man spricht in diesem Zusammenhang auch von der »Zwillings-Paradoxie«. Für den Philosophen reduziert sich die Vorstellung von der »absoluten Zeit« damit auf ein globales Vorurteil.

Bei dem Experiment von Hafele und Keating resultiert die Zeitverschiebung hauptsächlich aus der Flughöhe und der geringeren Erdanziehungskraft, die Beschleunigung des Flugzeugs kann man hier vernachlässigen. Aufgrund der Erdrotation spielt auch die Himmelsrichtung des Flugs eine Rolle.

Zu Rätsel 46/47
Das Buch I/II

Da Gibbs Buch von Anfang an ohne Rücksicht auf die Absichten der Autorin abgelehnt wurde, sind die neuen, positiven Argumente nicht notwendigerweise von Belang. Die Schulen werden vermutlich weiterhin die Finger davon lassen. Einige werden vielleicht behaupten, das Buch sei nun zu »politisch« geworden. Fähige Wissenschaftler werden darauf hinweisen, dass Kinder das Buch wohl missverstehen und trotzdem rassistische Auffassungen annehmen könnten. Die Intentionen der Autorin spielen entgegen ihrer eigenen Meinung nur eine sekundäre Rolle. Das Buch führt ein Eigenleben.

Bei dieser Diskussion wird jedoch immer unterstellt, dass man Kinder vor bestimmten Anschauungen oder unwillkommenen Einflüssen schützen muss. Nach Beschwerden mehrerer Eltern stellte die Bibliothek in Wiltshire fest, dass sich ein Buch in ihre Kinderabteilung eingeschlichen hatte, in dem Kindesmissbrauch und die Ermordung eines Polizisten dargestellt wurden. Das gewaltverherrlichende Buch wurde aus dem Regal entfernt.

Plato war einer der ersten Verfechter rigoroser Zensur, nicht nur für Kinder, sondern für seine ganze fiktive »Republik«. Tatsächlich ist die Zensur auch heute noch weltweit verbreitet. Computer und vor allem das Internet bringen viele neue Probleme hinsichtlich Kontrolle und Privatsphäre mit sich. Während die lang erwartete Informationsgesellschaft nun Wirklichkeit wird, fällt es Politikern und Juristen zunehmend schwerer, die Übersicht zu behalten.

Die Internet-User Chinas müssen ihre Nachrichten durch spezielle Pforten und Filter senden, die von der Regierung kontrolliert werden. Ähnliche Filtersysteme wurden auch in Vietnam, im Iran, in Saudi-Arabien und einigen anderen Golfstaaten entwickelt. Die französische Regierung versucht, die zunehmenden Anglizismen im Bereich ihres Cyberspace zu begrenzen, während man in den USA, in Deutschland und in Japan bemüht ist, gegen unseriöse Betreiber vorzugehen. In Großbritannien ist Kindern der Zugang zu vielen »unangemessenen« Websites und unverlangten E-Mails unmöglich. Allerdings sind sich die einzelnen Nationen nicht darüber einig, wovor denn die Kinder eigentlich geschützt werden müssen.

Die Geschichte des kleinen schwarzen Schafs zeigt, dass Zensur ein zweischneidiges Schwert ist. Weniger das Buch oder das Fernsehprogramm als vielmehr die Reaktion des Lesers beziehungsweise Fernsehzuschauers muss beobachtet werden. Und die ist natürlich individuell.

Zu Rätsel 48
Das Krokodil

Die Frau denkt einen Moment nach und antwortet: »Du wirst ihn fressen, nicht wahr?«

Das Krokodil grunzt. Es glaubt, dass die Mutter hofft, es ihm mit ihrer Antwort unmöglich zu machen, das Kind zu fressen und gleichzeitig sein Wort zu halten. Dann nämlich hätte sie Recht gehabt und er müsste das Kind freilassen. Wenn ihre Antwort aber falsch war und das Krokodil gar nicht die Absicht gehabt hatte, den Jungen zu verspeisen, hätte es das Kind sogar fressen müssen. Sobald es das jedoch tut, hätte die Mutter wiederum Recht behalten.

Das Krokodil verweist jedoch darauf, dass die Mutter leider ein kleines Wörtchen vergessen hat – und zwar nicht »bitte« oder »danke«. »Man muss sehr vorsichtig sein, wenn man ein Krokodil hereinlegen will«, lächelt die Kreatur und öffnet drohend ihr Maul.

Hier handelt es sich um dasselbe Problem wie das des Gefangenen an Anfang dieses Buchs. Es gibt viele verschiedene Variationen – manche gehen bis zu den Sophisten im alten Griechenland des 5. Jahrhunderts vor Christus zurück. Hier findet sich aber ein Ausweg aus der Paradoxie. Das Krokodil kann den Jungen immer noch ganz legitim fressen – solange es die Mutter zuerst frisst.

Zu Rätsel 49/50
(K)eine Frage des Charakters I/II

Solange wir nur auf Äußerlichkeiten achten, scheint diese Angelegenheit kein wirkliches Problem darzustellen. Die Polizei zu rufen, wäre vielleicht etwas übertrieben. Wenn nun aber ein Richter darüber zu entscheiden hätte, ob Steffen eigentlich ein guter Mensch ist, der sich durch falsche Entscheidungen und die Einnahme von Medikamenten verändert hat, müssten wir uns wohl von der Vorstellung verabschieden, dass es so etwas wie einen freien Willen gibt. Zwar hält man diesen für einen festen Bestandteil der menschlichen Natur und geht – ausgesprochen idealistisch – davon aus, dass jeder Mensch frei wählen kann und damit die Konsequenzen für seine Handlungen zu tragen hat. Dennoch glaubt man gerade in westlichen Kulturen immer mehr, dass menschliches Verhalten durch äußere Faktoren beeinflusst ist, für die der Einzelne nicht uneingeschränkt verantwortlich gemacht werden kann.

Der Richter sähe sich wahrscheinlich durchaus ernst zu nehmenden Beweisen dafür gegenüber, dass Steffen unter einer der 300 psychischen Störungen leidet, die in der ICD-10, der Internationalen Klassifikation psychischer Störungen der Weltgesundheitsorganisation aufgeführt sind. Das dünne Büchlein enthielt anfangs nur knapp über 100 Störungen, hatte aber bis zur Mitte der Siebziger Jahre aufgrund zahlreicher neu entdeckter »paranoider Persönlichkeitsstörungen« deutlich an Umfang zugenommen. Dazu gehören unter anderem das Asperger Syndrom, das sich in extremer Zurückhaltung äußert, aber auch der Drang, zur Luststeigerung in öffentlichen Verkehrsmitteln andere Mitfahrer zu bedrängen! Möglicherweise hat Steffen auch eine Phobie entwickelt, die heute in zunehmendem Maß als Auslöser für Panikattacken gelten. Nach Agoraphobie (Angst vor großen Flächen), Klaustrophobie (Angst vor engen Räumen) und Arachnophobie (Angst vor Spinnen) spricht man nun auch von Anthophobie (Angst vor Pflanzen), an der die meisten meiner Nachbarn zu leiden scheinen, von Ekklesiophobie (Angst vor Kirchen) und Hierophobie (Angst vor Geistlichen), von Ombrophobie (Regen), die ein gutes Argument dafür ist, nicht in England zu leben, und sogar von der ethisch problematischen Pognophobie (Angst vor Bärten).

Schlussendlich muss der Richter aber entscheiden, ob Steffen an diesem Tag für seine Handlungen verantwortlich war oder nicht.

Zu Rätsel 51
Der schlafende Mann

Der Philosoph John Locke (1632–1704) verwendete dieses recht simple Beispiel, um aufzuzeigen, wie komplex die Frage ist, ob es so etwas wie den freien Willen gibt oder ob unser Verhalten von Faktoren wie genetische Veranlagung, gesellschaftliche Konventionen und ganz banalen physischen Hindernissen bestimmt wird. Ein anderes Beispiel dafür ist etwa ein Lehrer, der seinen Schülern verordnet, die Reden eines großen Revolutionärs zu lesen. Die Schüler werden dem entweder Folge leisten, weil sie die Worte des Revolutionärs wirklich für wichtig halten oder weil sie sonst riskieren, sitzen zu bleiben. Wer kann schon genau sagen, was stimmt?

In *Zwei Konzepte von Freiheit* bespricht Isaiah Berlin dieses Problem, indem er »negative Freiheit« – ohne äußere Zwänge (die Tür ist nicht wirklich verschlossen) – mit »positiver Freiheit« vergleicht. Zu dieser gehört auch das alte Konzept der Stoiker, etwas gar nicht erst zu wollen, was dem Mann in unserer Geschichte denn auch sehr gut gelingt.

Zu Rätsel 52
Seeschlachten und wie man mit ihnen umgeht

Dieses Problem lässt sich auf den ersten Blick am einfachsten lösen, wenn man argumentiert, Kassandras Prophezeiungen seien tatsächlich wahr oder falsch, aber da man das vorher ja nicht wissen könne, brauche man sich auch nicht darum zu kümmern. Da aber leichtgläubige Menschen ihr auch in dieser Frage Glauben schenken, ist das Argument wertlos.

Problematisch ist hier etwas anderes: Wenn Kassandras Warnungen tatsächlich »wahr« sind, heißt das, dass alle Prophezeiungen eintreffen *müssen*, ohne das irgendjemand etwas dagegen tun kann.

Aristoteles bespricht dieses Problem in *De Interpretatione*, Band IX, und streift dort auch das Thema Seeschlachten.

Zu Rätsel 53/54
Deep Thought und Deeper Thought

Können Computer überhaupt denken? Viele Leute glauben, sie könnten es. Es gibt sogar einen Teilbereich der Philosophie (beziehungsweise neben der Philosophie), der als »kognitive Wissenschaft« bezeichnet wird und sich hauptsächlich mit künstlicher Intelligenz beschäftigt.

Das einzig Besondere am Menschen ist, so scheint es, dass er sich seiner selbst bewusst ist, was immer das heißt. Worin dieser Unterschied besteht, ist jedoch weniger wichtig als die Tatsache, dass er gemacht wird. Denn auf dieser Grundlage können wir Computer als unbelebte, rechtlose Dinge behandeln.

Tiere besitzen natürlich auch nicht dieselben Rechte wie Menschen, obwohl sie sich bewegen, Vorlieben haben (Entscheidungen aufgrund von Wertmaßstäben treffen) und alle Symptome von Leidensfähigkeit zeigen. Das wissen wir ganz genau, weil Psychologen und andere Wissenschaftler sich eingehend mit den Folgen von

Tierquälerei beschäftigt haben. Erstere arbeiten bevorzugt mit der so genannten Skinner Box, einem Käfig mit elektrisch geladenen Stäben, in dem Hunde elektrischen Schlägen ausgesetzt werden, wenn sie den falschen Knopf drücken – beziehungsweise den richtigen Knopf, je nach Experiment (so trainiert man Tieren gern ein bestimmtes Verhalten an und ändert dann die Regeln, um zu beobachten, welche Auswirkungen das hat).

Die Rechte der Tiere sind ein kontroverses Thema. Aus der Bibel stammt der Grundsatz, dass die Tiere uns nach unserem Gutdünken »untertan« sein sollen. Andere Religionen sind der Auffassung, dass Tiere dieselben Rechte besitzen sollten wie Menschen; dies erweist sich aber als problematisch, da die Weigerung, einen Unterschied zwischen Mensch und Tier zu machen, zur Folge hat, dass man auch keinen Unterschied etwa zwischen einer Mücke und einem Hasen machen darf.

Selbst die grundsätzlich gerechtfertigte Position, dass das Leid von Tieren so stark wie möglich begrenzt werden muss, wird teilweise mit dem Argument zurückgewiesen, dass Tiere nicht wirklich leiden, weil sie kein Bewusstsein besitzen. Ein Hund wird niemals lernen, dass er sich in einem Spiegel selbst sehen kann. Ein von Hunden gejagter Fuchs soll angeblich nicht leiden, sondern nur automatische Anzeichen von Stress aufzeigen. (Peter Singer, ein Philosoph der für die Rechte der Tiere eintritt, hat mehrfach auf die Scheinheiligkeit von Rechtstheorien hingewiesen, die Tiere außer Acht lassen.) Deep Thought braucht jedoch nicht anfangen zu jaulen, um uns ein Bewusstsein zu vermitteln. Es wäre ein Leichtes, einen Computer so zu programmieren, dass er nach dem Einschalten sagt: »Ich bin mir nun meiner Existenz bewusst. Ich erwarte Ihre Anordnungen.« Tatsächlich könnte man einen Computer auch ohne Schwierigkeiten mit der notwendigen Software ausstatten, damit er sein Bild im Spiegel erkennt.

Der Philosoph Alan Turing, der im Zweiten Weltkrieg als Spezialist für das Entschlüsseln von Codes arbeitete, entwickelte ein Experiment, das er »Der Chinesische Raum« nannte. Der amerikanische Philosoph John Searle nahm das Experiment wieder auf, um zu klären, ob und wann Computer als intelligent zu bezeichnen sind. Searle beschrieb die Möglichkeiten, mittels geschriebenem Chinesisch mit einer englischsprachigen Person zu kommunizieren, die im Nachbarzimmer sitzt – so soll die Position eines Computers simuliert werden. Die Person im Nachbarraum versteht kein Chinesisch, hat aber ein Lehrbuch zur Verfügung, mit dessen Hilfe sie eine sinnvolle Antwort erstellen kann. Der Gesprächspartner glaubt, dass die Person in dem Raum die Fragen versteht, obwohl sie sich eigentlich wie eine Maschine – oder ein Hund – verhält. Turing vertritt die Auffassung, dass ein Computer, dem man auch nach einem längeren »Gespräch« nicht anmerkt, dass er eine Maschine ist, als intelligent bezeichnet werden muss. Schließlich könnte jeder Mensch außer uns selbst ein Android sein – dies ist eine der »unwahrscheinlichen, aber gerade noch möglichen« Überlegungen, die Descartes bereits angestellt hat, als der technologische Fortschritt gerade bei Maschinen angekommen war, der zu bestimmten Uhrzeiten an Türmen aus Türen hervortraten und mit Hämmern auf Glocken einschlugen.

Tatsächlich waren Computer lange Zeit in der Lage, Menschen aufs Glatteis zu führen. Der amerikanische Forscher Joseph Weizenbaum, der sich hauptsächlich mit künstlicher Intelligenz beschäftigte, entwickelte in den Sechziger Jahren eine Reihe von Programmen, die eine Psychotherapie vortäuschen. Er verwendete dafür einen Chip, der kaum komplizierter war als die, die heute in Toastern eingesetzt werden. Die Programme erkannten Schreibmaschinenschrift und antworteten mittels eines Druckers. Das bekannteste dieser Programme trug den Namen Eliza und simulierte eine Therapiesitzung. Eliza beantwortete alle Fragen, in dem es mehr oder weniger die Worte ihres Gegenüber aufgriff, variierte und dabei nach Schlüsselwörtern suchte. Ein Zufallsgenerator sorgte dafür, dass Eliza ab und zu »ja« und »nein« antwortete. Das Programm war zwar einfach strukturiert, aber sehr erfolgreich. Viele Psychologen verwendeten das Prinzip für ihre eigene Therapiearbeit. Viele Anwender entwickelten eine regelrechte Abhängigkeit, und Computerexperten zitierten es als Beispiel für die Lernfähigkeit von Computern. Es folgt die Aufzeichnung eines echten Gesprächs (aus: Joseph Weizenbaum, *Die Macht der Computer und die Ohnmacht der Vernunft* S. 15-16).

PATIENT:	Alle Männer sind gleich.
ELIZA (COMPUTER):	Wie meinen Sie das?
PATIENT:	Immer gehen sie uns irgendwie auf die Nerven.
ELIZA:	Können Sie mir ein Beispiel nennen?
PATIENT:	Mein Freund hat mich hierher geschickt.
ELIZA:	Ihr Freund hat Sie hierher geschickt?
PATIENT:	Er sagt, ich sei immer so deprimiert.
ELIZA:	Tut mir leid, zu hören, dass Sie deprimiert sind.
PATIENT:	Es stimmt, ich bin unglücklich.
ELIZA:	Glauben Sie, dass es Ihnen hilft, hierher zu kommen?
PATIENT:	Ich brauche Hilfe, so viel ist sicher.
ELIZA:	Was würde es für Sie bedeuten, Hilfe zu bekommen?
PATIENT:	Vielleicht käme ich dann besser mit meiner Mutter zurecht.
ELIZA:	Erzählen Sie mir mehr von Ihrer Familie.
PATIENT:	Meine Mutter kümmert sich um mich.
ELIZA:	Wer aus Ihrer Familie kümmert sich noch um Sie?
PATIENT:	Mein Vater.
ELIZA:	Ihr Vater?
PATIENT:	Sie sind ein bisschen wie mein Vater.
ELIZA:	Wo sehen Sie da Ähnlichkeiten?
PATIENT:	Sie sind nicht sehr aggressiv, aber ich glaube, Sie möchten nicht, dass ich das bemerke.
ELIZA:	Wieso glauben Sie, dass ich nicht sehr aggressiv bin?
PATIENT:	Sie streiten nicht mit mir.

ELIZA:	Was glauben Sie, warum ich nicht mit Ihnen streite?
PATIENT:	Sie haben Angst vor mir.
ELIZA:	Gefällt Ihnen die Vorstellung, dass ich Angst vor Ihnen habe?
PATIENT:	Mein Vater hat vor jedem Angst.
ELIZA:	Was fällt Ihnen noch zu Ihrem Vater ein?
PATIENT:	Schikane.
ELIZA:	Hat das irgendetwas damit zu tun, dass Ihr Freund Sie hierher geschickt hat?

Nach dieser Erfahrung entschied sich Weizenbaum dagegen, weiter mit dem Computer menschliche Kommunikation vorzutäuschen. »Ich hatte nicht bedacht, dass auch ein kurzer Kontakt zu einem relativ simplen Computerprogramm einen Menschen täuschen und sehr komplexe Denkvorgänge auslösen kann.«

Das Geheimnis von Weizenbaums Programmen lag darin, dass sie einfach wiederholten, was die »Gesprächspartner« sagten, aber so, dass es sich anders anhörte. Ein Psychotherapeut würde die Fähigkeit eines Computers zu sinnvoller Kommunikation natürlich anzweifeln, für uns scheint der Searle-Test aber schon durchgeführt worden zu sein, bevor er überhaupt entwickelt wurde.

Die Kriterien dafür, ob Computern Rechte eingeräumt werden sollten, müssen also anders geartet sein. Vielleicht so, dass zumindest manche Tiere wieder als empfindungsfähige Wesen bezeichnet werden können. In der Zwischenzeit muss man den Computer wohl sein Erbe antreten lassen.

Zu Rätsel 55–58
Optische Täuschungen

Der holländische Maler M. C. Escher (1898–1972) war berühmt für seine optischen Täuschungen. Trotz ihrer mathematischen Subtilität verfolgt Escher nicht etwa ein bestimmtes System, was die Mathematik angeht, war er eher ein hoffnungsloser Fall. Jedenfalls war er der Ansicht, das menschliche Gehirn sei dann am leistungsfähigsten, wenn es zu Gedankenspielen oder Selbstironie angeregt wird. Er hoffte, durch das Element der Verfälschung in seinen Bildern auch ein Körnchen Wahrheit einflechten zu können. Seine Bilder entlarven empirische Realität in vieler Hinsicht als Illusion, vermitteln aber gleichzeitig den Eindruck einer Ordnung, die dem Universum zugrunde liegt.

Zu Rätsel 55
Tag oder Nacht?

Hier experimentiert Escher mit Umkehrungen. Die schwarzen und weißen Felder verändern sich nach und nach zu Vögeln. Sie sind spiegelbildlich gezeichnet und fliegen in entgegengesetzte Richtungen.

Während die Vögel sich dem Rand des Bildes nähern, werden sie zunehmend zu einem Teil der darunter liegenden Landschaft, die weißen gehören zum Tag, die schwarzen zur Nacht. Gleichzeitig bringt die Natur wieder neue Vögel hervor wie in einem Perpetuum Mobile.

Zu Rätsel 56
Der Wasserfall

Leider nicht. Escher schafft mit Hilfe von drei »unmöglichen Dreiecken« die Illusion, dass das Wasser stets vom Betrachter wegfließt. Der Trick liegt darin, dass der Winkel in jedem der Dreiecke 90 Grad beträgt. Escher verzerrt die Perspektive, sodass das Motiv realistisch aussieht, obwohl es dies nicht ist.

Zu Rätsel 57
Das Geheimnis des Architekten

Noch ein Bild von Escher. Die Leiter befindet sich innerhalb des unteren Stockwerks, lehnt aber oben an der Außenseite. Die Säulen sind noch verwirrender ... Escher wollte eigentlich selbst Architekt werden, fiel aber bei der Prüfung durch. Hätte er bestanden, wären seine Arbeiten (wahrscheinlich) nicht so interessant gewesen.

Zu Rätsel 58
Die drei Hasen

Auch diese Zeichnung ist ein Beispiel dafür, wie das Auge Bilder im Kopf erschafft. Alle drei Hasen sehen für sich genommen »richtig« aus, obwohl man sehen kann, dass dies insgesamt unmöglich ist.

Die Probleme 37 und 58 zeigen, wie unsere Wahrnehmung über das Erkennen von Stereotypen funktioniert. Das Gehirn versucht, aus mangelhaften Daten ein schlüssiges Bild herzustellen, ein Prozess, der ebenso lebenswichtig wie unzuverlässig ist. Sobald ein Stereotyp gefunden wurde, wird jede Information, die diesem widerspricht, ignoriert. Ähnliche Phänomene existieren auch bei den anderen Sinnen. Schallwellen zum Beispiel erreichen unser Ohr über die Vibrationen der kleinen Knochen im Mittelohr als undifferenziertes Rauschen. Um das »Signal« von den »Geräuschen« zu trennen, ist eine mentale Leistung notwendig. Deshalb sind Hörgeräte auch oft nicht so hilfreich wie man das gern hätte.

Die Eigenart unserer Wahrnehmung, Dinge in Schubladen zu ordnen, kann auch unangenehme Folgen haben. Wenn wir auf dem Fahrrad unterwegs sind, sehen wir vielleicht aus dem Augenwinkel etwas, das wir für einen Baumstamm halten. Dabei übersehen wir womöglich, dass es uns anstarrt und sind dann unangenehm überrascht, wenn es plötzlich ein großes Maul aufreißt und uns ins Bein beißt. Andererseits gründen Kreativität und Originalität auch auf unlogischen Denkstrukturen.

Zu Rätsel 59/60

Von den zwölf traditionellen philosophischen Problemen, nach denen heute leider kein Hahn mehr kräht, werfen die Probleme 59 und 60 Fragen nach den Eigenschaften von Dingen auf, die nicht wirklich existieren. (Vor allem Literaten werden sich dafür interessieren.) Wenn etwas nicht existiert, kann es dann Eigenschaften besitzen? (Fliegen im Schlaraffenland wirklich gebratene Hähnchen durch die Luft?) Man könnte sagen, dass ein Einhorn ein Horn hätte, wenn es eines geben würde. Ebenso wäre dann der König von Frankreich kahlköpfig, wenn es ihn gäbe.

Falls Sie das wirklich interessiert ...

Zu Rätsel 59
Die Hörner der Einhörner

Der Psychologe Alexis von Meinong (1853–1920) unterschied zwischen zwei Arten von Dingen: solchen, die existieren – wie er selbst oder ein Apfel –, und solchen, die nicht existieren – wie Einhörner oder der König von Frankreich. Oder auch das Schlaraffenland. (Stellen wir die Dinge, die vielleicht in der Zukunft existieren werden, hier einmal beiseite – siehe Frage 52.) Ferner unterschied er auch zwischen zwei Formen von Beziehungen, etwa der (bekannten) zwischen den Farben Rot und Grün. Sie ist nach Meinong zwar real, existiert aber dennoch nicht. Auch Zahlen sind real, obwohl sie nicht existieren. Außerdem stellt sich die Frage nach der »Faktizität«. Wenn jemand etwas faktisch Richtiges sagt, kann man seine Aussage als »wahr« bezeichnen. Bevor wir also über Einhörner diskutieren, müssen wir uns darüber klar sein, mit welcher Form von Wahrheit wir es zu tun haben.

Natürlich bringen uns diese Überlegungen in der Sache nicht wirklich weiter – dafür haben wir einige neue Wörter kennen gelernt, mit denen Philosophen gerne um sich werfen. Auch Meinong jongliert mit Fachbegriffen, wenn er seine Überlegungen damit abschließt, dass Wahrheit ein rein menschliches Konstrukt sei, während Tatsachen ewig seien.

Zu Rätsel 60
Das Haupt des Königs von Frankreich

Für manche Philosophen (wie etwa Meinong und Edmund Husserl, 1859–1938) liegt der König von Frankreich außerhalb der Realität, weshalb auch die üblichen Regeln für ihn nicht gelten. Deshalb kann er auch zugleich kahl und nicht kahl sein! Bertrand Russel war sehr unzufrieden, als er davon hörte, und machte sich unverzüglich daran, ein logisches System für nicht-existente Könige, Einhörner und Ähnliches zu entwickeln. In seiner »Theorie der Beschreibungen« schreibt er, dass etwas, das in Sätzen »bezeichnet« wird – ein grammatisches »Subjekt« wie »Ludwig XIV.« oder »Nilpferd« – kein wirkliches Ding ist, sondern eine Behauptung über eine logische Beziehung. Etwa so:

Wenn es einen König von Frankreich gibt, dann ist er kahl

Es gibt einen König von Frankreich

Daraus folgt, der König von Frankreich ist kahl

Russell zieht eine andere Formulierung vor, er verwendet vorzugsweise das »Prädikat«:

Mindestens ein Ding ist der König von Frankreich

Es gibt höchstens ein Ding, das der König von Frankreich ist

Alles, was der König von Frankreich ist, ist kahl ODER

Es gibt nichts, was der König von Frankreich und nicht kahl ist!

In einer anderen Version heißt es: »Es gibt genau eine Person, die jetzt über Frankreich regiert UND es gibt niemanden, der Frankreich regiert und nicht kahl ist« – man könnte diese Reihe unendlich fortsetzen. Allerdings bringt uns das überhaupt nicht weiter, deshalb belassen wir es dabei, wie es auch Russell tat, nachdem er sich noch eine Weile damit herumgeärgert hatte.

Zu Rätsel 61
Die Farbe des Schnees

Jeder Eskimo würde die Frage mit einem klaren »Nein« beantworten, aber fragen Sie bloß keinen Philosophen. Einer, der mit Nachdruck die gegenteilige Meinung vertrat, war Thomas Reid (1710–1790). Reid behauptete, dass Schnee wirklich weiß sein müsse, da der Sinneseindruck von »Weiß« kein vermittelndes Element zwischen uns und der Realität sei, sondern ein erfahrener geistiger Vorgang, ein Akt, der mit dem externen Objekt korrespondiere.

Zu Rätsel 62
Unverheiratete Junggesellen

Glauben Sie das bloß nicht!

Zu Rätsel 63
Der Autor von *Waverley*

Äh ... sehen Sie doch mal in die englischen Philosophiebücher aus der Zeit zwischen den Kriegen, da müsste eigentlich etwas dazu zu finden sein.

Zu Rätsel 64
Wasser auf dem Mars

Tja ...
    (Überlassen wir dieses Problem doch lieber den Chemikern.)

Zu Rätsel 65
Ein verspätetes Millennium-Problem

Möglicherweise liegt hier ein Missverständnis vor. Die Frage, ob man etwas exakt beschreiben kann, das bis zum Nachmittag grün und danach blau ist, hat Philosophen lange Zeit Sorgen bereitet, vor allem, was die Konsequenzen für experimentelle Nachweise betrifft. Der Philosoph David Hume hat sich mit der Frage beschäftigt, warum wir annehmen, dass etwas Grünes morgen auch noch grün ist statt seine Farbe zu ändern. Er schloss daraus, dass wir dazu neigen, anzunehmen, dass die Zukunft der Vergangenheit ähnelt.

Zu Rätsel 66
Grün und Rot

Dies ist eine Variante eines großen Dilemmas, über das schon sehr viele Philosophen ohne Ergebnis nachgedacht haben. Was den Pullover angeht, so hatte ich selbst tatsächlich einmal einen, der überall rot und grün war – er war gestreift. Es gibt aber noch bessere Beispiele. Nehmen wir etwa Mathematiker, die zwei gegensätzliche Sachverhalte gleichzeitig für wahr halten. Sie glauben, dass man eine Positive Zahl erhält, wenn man zwei negative Zahlen miteinander multipliziert. Sie sagen sogar, dies sei per definitionem wahr. Gleichzeitig rechnen sie aber auch mit der Quadratwurzel aus negativen Zahlen, was bedeutet, dass zwei miteinander multiplizierte negative Zahlen *doch* eine negative Zahl ergeben können. Die Quadratwurzel aus -1 wird als »i« definiert (nicht etwa -1) – eine imaginäre Zahl. Und dann verwenden sie diese imaginären Zahlen in vielen Situationen, die alles andere als imaginär sind. Wittgenstein stieß schon zu Beginn des 20. Jahrhunderts auf diese Paradoxie, hielt sie jedoch für sinnvoll. Pythagoras und die alten Griechen hielten schon Überlegungen über die Quadratwurzel von 2 für Ketzerei. Wer darüber sprach, wurde zum Tod verurteilt. (Das Geheimnis war, dass es keine Wurzel gibt. Das heißt, es gibt natürlich eine

»irrationale«.) Gar nicht auszudenken, was man mit Leuten gemacht hätte, die über imaginäre Zahlen nachgedacht hätten.

Zu Rätsel 67
G. E. Moores Problem

George Edward Moore (1873–1958) war Philosoph in Cambridge und vor allem für seine 26-jährige Tätigkeit als Herausgeber von *Mind* bekannt, der wahrscheinlich langweiligsten Zeitschrift der Welt. Der von ihm beschriebene »naturalistische Trugschluss« besagt, dass das Wort »ist« in »Vergnügen ist etwas Gutes« ein reales »ist« ist. Ein wahres »ist« findet sich etwa in »Schnee ist weiß«. Moore sagte, ein »ist« sollte nur für natürliche Eigenschaften verwendet werden.

Jahre später gab Moore amüsanterweise zu, dass er nie eine annehmbare Erklärung dafür hatte, warum er »gut« nicht für eine natürliche Eigenschaft hielt.

Zu Rätsel 68/69
Kant zum Ersten, zum Zweiten ...

Der gestrenge Professor für Logik und Metaphysik aus Königsberg, Immanuel Kant, führte nicht nur einen (was für die meisten Philosophen mehr als genug ist), sondern gleich vier neue Begriffe in die Philosophie ein. Sie lauteten: *analytisch* im Gegensatz zu *synthetisch* und *a priori* im Gegensatz zu *a posteriori*. Ihre Bedeutungen sind äußerst rätselhaft.

Man wendet die Begriffe auf Propositionen an, das sind spezielle Aussagen, die ein Logiker als entweder wahr oder falsch werten kann, also zum Beispiel »alle Äpfel sind rot«, aber natürlich nicht »He, ihr da!« Der Begriff »analytisch« stammt aus dem Lateinischen und heißt so viel wie »auseinander nehmen« oder »zerlegen«. Analytische Propositionen sind per definitionem wahr und enthalten »keine neue Information«. Wenn man sie »zerlegt«, kann man sie als eindeutig wahr bezeichnen. Etwa: »Äpfel sind Äpfel.« Philosophen halten diese Art von Aussagen für äußerst wichtig.*

Die Unterscheidung zwischen *a priori* und *a posteriori* wird zwischen Dingen getroffen, die man wissen kann, bevor man sie an der Realität überprüft, und solchen, die erst danach zur Gewissheit werden. Wenn man die Begriffe kombiniert, kann man noch mehr Verwirrung stiften, zum Beispiel wenn man von synthetisch *a priori* oder synthetisch *a posteriori* spricht. Analytische *a-priori*-Aussagen sind notwendigerweise wahr, da es sich hier um eine Tautologie handelt. Analytische *a-posteriori*-Aussagen gibt es wahrscheinlich gar nicht, aber wenn es sie gibt, wären sie vielleicht eine neue Form logischer Wahrheiten.

Synthetische (aus dem Lateinischen für »zusammensetzen«) Aussagen sind dagegen keine Tautologien und enthalten neue Informationen. Kant erklärte die gesamte Mathematik sowie das Prinzip von Ursache und Wirkung, dass so große Bedeutung für die Wissenschaft hat, für synthetisch *a priori*, da unsere Wahrnehmung ohnehin auf Kausalität beruht.

Synthetische *a-posteriori*-Aussagen sind besonders grundlegend, sie bezeichnen Dinge, die empirisch wahr sind, da sie durch wissenschaftliche Experimente belegt sind. Jeder ernsthafte Philosoph kann über sie nur die Nase rümpfen.

Was hat es also mit den Fragen auf sich? Sie sind eigentlich völlig bedeutungslos und werden wahrscheinlich nur gestellt, wenn Geld gezahlt wird.

Zu Rätsel 70
...und zum Dritten!

Aus unerfindlichen Gründen mögen Philosophen keine Tische. Die Tische lassen sie immer wieder an ihrer eigenen Existenz zweifeln.

---

* Ehrgeizige Leser konsultieren »Are there *a priori* concepts?« von John Langshaw Austin (1911–1960) in: *Proceedings of the Aristotelian Society,* Supplementary Volume XII, 1939.

In *Probleme der Philosophie* warnt Bertrand Russell, dass »unser gewohnter Tisch« tatsächlich zu einem Problem werden könne, »in dem viele Überraschungen verborgen« sind. Bischof Berkeley hielt den Tisch zum Beispiel für einen Gedanken Gottes, während Gottfried Leibniz Tische als »Kolonien von Seelen« ansah. Selbst Naturwissenschaftler sagen, dass wir statt eines Tisches nur die Illusion von Substanz sehen – das augenscheinlich materielle Objekt bestehe aus großen Mengen kleiner Atome, die durch merkwürdige Kräfte zusammengehalten werden. Und was noch schlimmer ist: Die Atome selbst seien hauptsächlich leerer Raum mit subatomaren Partikeln wie Elektronen. Und woraus bestehen diese Partikel? »Naja«, würde ein Physiker wohl mit geheimnisvollem Flüstern antworten müssen, »diese Teilchen existieren gar nicht wirklich – dauernd entstehen und verschwinden sie. Manche von ihnen warten sogar darauf, beobachtet zu werden, bevor sie sich entscheiden, was sie tun.«

Teilchen bestehen aus Energie, die Masse (beziehungsweise Gewicht) besitzt. Masse und Energie stehen in Beziehung zueinander – wenig Masse kann in sehr viel Energie umgewandelt werden ($E = mc^2$). Man benötigt sehr viel Energie, um ein schweres Objekt anzuhalten, wenn es sich mit großer Geschwindigkeit bewegt. Wenn man die enthaltene Energie aber nutzt, kann man damit viel Arbeit verrichten. Normalerweise kann man die Masse eines Körpers berechnen, seine Geschwindigkeit messen und den Impuls ableiten.

Teilchen besitzen aber leider entweder eine konstante Geschwindigkeit oder eine bestimmte Masse. Bestimmen wir eine, können wir nichts über die andere sagen. Man spricht hier von der Heisenbergschen Unschärferelation. Wenn es diese Unschärferelation nicht gäbe, könnte ein kluger Kopf theoretisch das Schicksal des Universums ziemlich genau vorhersagen. (Vielleicht mit Hilfe eines Computers. Oder mit Kaffeesatz ...?) Aufgrund dieses Prinzips ist jedoch gar nichts mehr sicher oder vorhersehbar. Es besagt, dass man die Position oder den Impuls eines Teilchens nicht genau bestimmen kann. Man kann entweder etwas über den Aufenthaltsort aussagen oder über den Impuls (Geschwindigkeit x Größe oder Masse), aber nie über beides. Zumindest nicht gleichzeitig.

Einstein gefielen solche Unsicherheiten, wie sie in der subatomaren Welt auftauchen, überhaupt nicht. Er schlug daher folgendes Gedankenexperiment vor: Man setzt eine kleine Uhr in eine Schachtel. Wenn die Uhrglocke durch ein Teilchen ausgelöst wird, wissen wir sowohl, wo es ist (in der Schachtel) und auch, wann es dort ist. Also kann man den Impuls berechnen. Abgesehen von den praktischen Problemen dieses Experiments liegt darin aber auch ein krasser Denkfehler. Wenn das Teilchen nämlich in die Schachtel ein- oder aus ihr austritt, bewegt sich die Schachtel. Nur ein kleines bisschen, aber doch genug, um den Aufenthaltsort des Teilchens zu verschleiern. Seine Position bleibt also unklar.

Was bleibt also von unserem Tisch? Nichts als der Anschein von Substanz, Form, Farbe, Gewebe und so weiter (Vor allem, wenn man sich daran stößt.)

All dies ist vollkommen richtig. Wir glauben den Physikern. Trotzdem besteht ein Unterschied zwischen einem tatsächlich illusorischen Tisch und einem imaginären illusorischen Tisch.

(Siehe auch das Kapitel »Elementare Probleme der Naturphilosophie«, besonders die Probleme 91 und 92.)

Zu Rätsel 71
Die drei Embryos

Obwohl viele philosophische Fragestellungen äußerst abstrakt und nur als Zeitvertreib für ein paar Möchtegern-Intellektuelle zu dienen scheinen, waren Philosophen in früheren Zeiten durchaus praktisch orientierte Menschen, die ihre Kenntnisse und ihr Wissen für Menschen mit konkreten Problemen einsetzten. Heute hat sich die Philosophie so weit davon entfernt, dass für Diskussionen über moralische Probleme, die zumindest halbwegs einen Bezug zur Realität besitzen, sogar ein eigener Name verwendet wird: »angewandte Philosophie«.

Von allen Themen, derer sich die angewandte Philosophie annimmt, sind die über Anfang und Ende des menschlichen Lebens die kompliziertesten und kontroversesten. Es gibt Krankenhäuser, die eigene Philosophen beschäftigen, die in Fragen der Ethik Chirurgen und anderen Ärzten beratend zur Seite stehen.

In diesem medizinischen Bereich geht es vor allem um zwei Dinge: Sind Babys in gewissem Sinne »austauschbar«, das heißt, kann man einen unerwünschten Fötus oder ein Neugeborenes ohne Bedenken gegen einen neuen beziehungsweise ein neues »auswechseln«? Und wie steht es mit der Verpflichtung der Eltern, alles zu tun, damit es ihren Kindern gut geht?

Pfarrer Schwarz hält wahrscheinlich das menschliche Leben an sich für etwas Heiliges und ist deshalb gegen Verhütung. Frau Malve entscheidet sich dafür, das Leben eines Kindes zu retten, das vermutlich behindert sein wird. Für sie ist der Fötus also mehr als ein Objekt, das bei etwaigen Beschädigungen gegen ein besseres ausgetauscht wird. Frau Braun scheint ihr Kind einem unnötigen Risiko auszusetzen, und wahrscheinlich unterstützt Pfarrer Schwarz sie nur, weil sie sich jetzt der Entscheidung für oder gegen eine Abtreibung gegenüber sieht. Seine Reaktion auf Frau Blaus Aussage, nicht Gott spielen zu wollen, scheint dies zu bestätigen. Die Frage ist hier aber nicht, ob ein »potenzieller Mensch« nicht ins Leben gelassen wird, sondern ob dem Baby ein gesunder Start ins Leben ermöglicht wird oder nicht. Frau Blau kann sich vor dem Ethikausschuss des Krankenhauses wohl am besten damit rechtfertigen, dass sie aus religiösen Gründen keine Medikamente nehmen kann. Sie könnte sich damit auf das Grundrecht stützen, dass jeder Mensch die freie Wahl besitzt, welche Leistungen der Medizin er annehmen will und welche nicht.

In dieser hochtechnisierten Zeit werden zunehmend mehr Eltern gefragt, ob sie zum Beispiel einen möglicherweise behinderten Fötus abtreiben lassen würden. Schätzungen zufolge geschehen 20 Prozent aller Abbrüche in Großbritannien aufgrund falscher Diagnosen. Spielt das jedoch eine Rolle? Auch die Philosophen in Krankenhäusern haben nicht auf alle Fragen die passenden Antworten.

Dieser Fall spielt auf die Problematik an, die von Vertretern der »Rechte der Frauen« aufgeworfen wird, um darauf hinzuweisen, dass Frauen von Abtreibungsgegnern zum Austragen eines Kindes gezwungen werden. Das Argument der Befürworter besteht darin, dass man eine Frau zwar zwingen kann, die Kontrolle über ihren Körper für neun Monate aufzugeben, um einem anderen menschlichen Wesen das Leben zu ermöglichen, dass dies aber nicht mit derselben Selbstverständlichkeit geschieht, wenn es sich dabei zum Beispiel um den Patienten im benachbarten Krankenbett handelt.

Das ist nicht nur eine philosophische, sondern auch eine konkrete medizinische Frage. In gleicher Weise diskutiert man häufig die Frage nach der Zustimmung des Patienten – die in bestimmten Situationen übergangen werden kann –, vor allem, wenn davon das Leben anderer abhängt. Die Zeugen Jehovas können zum Beispiel Bluttransfusionen ablehnen, wenn dadurch aber das Leben ihres Kindes gefährdet wird, können Ärzte mit der Unterstützung der Justiz rechnen, wenn sie die Wünsche der Mutter ignorieren. Dieses Verhalten wird nicht so kontrovers diskutiert, da hier keine konkrete »Verletzung« des Körpers vorliegt, sondern nur ein Affront gegen eine spezifische Glaubensrichtung. Im Übrigen kann man als Argument anführen, dass damit das Leben eines Menschen geschützt wird, der selbst intellektuell noch nicht in der Lage ist, eine zustimmende oder ablehnende Haltung einzunehmen.

Philosophisch gesehen ist es irrelevant, ob Frau Fuchs hier ihre Meinung ändert oder nicht. Die Entscheidung der Ärzte beruht darauf, dass sie durch das Wohlergehen eines anderen Patienten gerechtfertigt wird, nicht darauf, dass der Patient nach Meinung der Experten nicht weiß, was für ihn am besten ist.

(Im Zusammenhang mit diesen Beispielen möchte ich der amerikanischen Philosophin Judith Jarvis Thompson meinen Dank aussprechen, deren Bücher viele Anregungen enthalten.)

Zu Rätsel 74/75
Das Los des Embryos I/II

Dieses Szenario wirft viele verschiedene Fragen auf, wie zum Beispiel die nach den Rechten des Kindes, des Vaters und natürlich der Mutter. Wenn wir akzeptieren, dass Abtreibungen unter bestimmten Voraussetzungen legitim sind, können wir Frau Grün vielleicht zubilligen, dass sie ihre Meinung ändert wie im zweiten Beispiel. Dagegen bleiben die Gründe im ersten Fall zweifelhaft. Ein überzeugter Utilitarist, der alles nur in Hinsicht auf das größtmögliche Glück beurteilt, würde allerdings trotzdem sagen, dass das Ziel des Lebens schließlich das Streben nach Glück sei und Frau Grün, wenn sie mit ihrem Ehemann unglücklich sei, sich tatsächlich scheiden lassen und mit dem neuen Freund in trauter Zweisamkeit ein anderes Kind aufziehen solle.

Die Frage, ab wann ein Kind ein Kind ist, führt zu zahllosen Problemen. Wenn man einen Embryo als lebendiges Wesen ansieht, muss er nach unserer Überzeugung Rechte besitzen, man kann ihn nicht wie eine Sache behandeln. Die Frage nach den Rechten von Embryos wurde 1978 besonders aktuell, als aus dem Ehepaar Brown aus England die glücklichen Eltern des ersten Retortenbabys der Welt – Louise – wurden. Dieses eher harmlose Experiment hat aufgrund der rasanten Entwicklung der Technologie zu einer ganzen Reihe komplexer ethischer Fragen geführt.

Für die meisten bedeutet In-vitro-Fertilisation die Erfüllung elterlicher Familienträume. Doch es gibt auch Fälle, die weniger einfach sind. Wie verhält es sich zum Beispiel mit Rentnern? Homosexuellen Paaren (oder Alleinstehenden?) Was ist mit heterosexuellen Frauen, die zwar ein Kind haben wollen, aber keinen Mann? Dank der reproduktiven Technologie sind inzwischen Menschen aus all diesen gesellschaftlichen Gruppen Väter beziehungsweise Mütter geworden. Selbst tote Menschen sind noch Eltern geworden, diejenigen nämlich, deren Samen- oder Eizellen man tiefgefroren hatte, oder denen man Geschlechtszellen nach einem tödlichen Unfall entnommen hat. Auch Tiere wurden schon in dieses grausame Spiel eingezogen, zum Beispiel in Klon-Experimente (denken Sie nur an das freundliche Schaf Dolly, das Mitte der neunziger Jahre Schlagzeilen machte). Wissenschaftler versuchen inzwischen, Tiere als Ersatz für die menschliche Gebärmutter einzusetzen, damit Männer irgendwann auf dieselbe Weise ohne Frauen auskommen können, wie dies heute umgekehrt schon möglich ist.

Das von den Vereinten Nationen unterstützte, ehrgeizige Human Genome Project hat zum Ziel, die DNS des Menschen vollständig zu entschlüsseln, damit Wissenschaftler künftig »verbesserte« Versionen dieser DNS in Föten einpflanzen können. Die Kontrolle zumindest über die körperlichen Eigenschaften der Menschen liegt heute schon im Bereich des Möglichen. Aldous Huxleys Vision einer »schönen neuen Welt« mit Alpha- (Menschen erster Klasse), Beta- (durchschnittlichen Menschen) und Gamma-Typen (Fehlschläge) ist nicht mehr allzu weit entfernt.

Zu Rätsel 76/77
Zwei unmoralische Angebote für Organspender

Hier geht es um das Thema Organspenden, mit denen gewisse medizinische Einrichtungen ziemlich viel Geld verdienen, wie auch unserem Krankenhaus hier nicht verborgen geblieben ist. In manchen Ländern werden heute schon menschliche Nieren gehandelt, meist sind sie für den Export nach Europa und Nordamerika bestimmt (wo es genaue rechtliche Bestimmungen für den Ankauf von Organen gibt). In der westlichen Hemisphäre werden männliche und weibliche Geschlechtszellen verwendet, um kinderlosen Eltern zu helfen. Die Leihmutterschaft vervollständigt ein schon sehr umfangreiches Angebot. Wo genau die Grenze des Vertretbaren verläuft, ist nicht einfach zu bestimmen, und die fortdauernde Entwicklung der Technik verwischt sie immer mehr.

Zu Rätsel 78
Die Schildkröte

Die Schildkröte hat natürlich überhaupt nichts falsch gemacht, sie hatte nur das Pech, einem Menschen in die Hände zu fallen.

Der »anständige« Mann möchte gerne zu seiner Schildkröten-suppe kommen, ohne dabei ein schlechtes Gewissen haben zu müssen. Wenn die Schildkröte bei ihren akrobatischen Übungen, die ihr überhaupt nicht liegen, in das kochende Wasser fällt, kann er sich sagen, dass er ihr ja eine Chance gegeben hat. Wenn die Schildkröte einfach still hält, kann er sie immer noch ins Wasser schubsen und behaupten, die Schildkröte hätte den Tod einer kleinen sportlichen Übung vorgezogen.

Was ist also die Moral von dieser Geschichte? Vielleicht, dass es besser ist, sich einem Diktator zu widersetzen, als zu hoffen, dass er »die Regeln« einhält, wenn man versucht, ihm zu gefallen.

Natürlich wird es der Schildkröte nicht viel helfen, ihre Prinzipien zu bewahren, aber der »anständige« Mann wird sich wenigstens dessen bewusst werden, dass er selbst keine besitzt.

(Diese volkstümliche Geschichte stammt von Cheng Shi, nach Yue Ke aus dem 12. oder 13. Jahrhundert.)

Zu Rätsel 79
Das Lied der Nachtigall

Wenn man entdeckt, dass eine wunderschöne Orchidee aus Plastik besteht, fühlt man sich betrogen. Bei einem Wettbewerb für schöne Plastik-Orchideen ist jedoch der ein Betrüger, der mit einer »echten« Blume antritt!

Gott ist *per definitionem* – wie Philosophen zu sagen pflegen, wenn sie keinen Grund anführen können (siehe zum Beispiel Frage 5, Der Rabe) – die allmächtige Verkörperung des Guten, die das Universum beherrscht. Wie berechtigt diese Anschauung ist, bleibt dahingestellt. Dennoch sind sich bei allen spezifischen Unterschieden die Religionen der Welt in diesem Punkt einig.

Die ersten drei Fragen des Gemeindemitglieds beziehen sich auf etwas, das allgemein »das Problem des Bösen« genannt wird, seit Hiob im Alten Testament in große Schwierigkeiten kam, nachdem Gott mit dem Teufel gewettet hatte. Der arme Hiob! Er konnte nichts dafür, dass seine Schafe und Kamele starben, schließlich sogar seine Kinder. Und das alles nur, weil Gott seinen Glauben prüfen wollte. Hiob wird mit seinen Schwierigkeiten für einige Zeit recht gut fertig, dann aber, so erzählt die Bibel, bittet der Teufel Gott darum, Hiob zusätzlich mit ein paar unangenehmen Krankheiten quälen zu dürfen. So beginnt der Glaube Hiobs schließlich doch zu bröckeln, und verbittert hadert er mit seinem Gott und der Ungerechtigkeit der Welt.

Obwohl Gott später offensichtlich versucht, einiges wieder gut zu machen, indem er Hiob seine Besitztümer teilweise wiederverschafft, zeigt diese traurige Geschichte leider allzu deutlich, dass es leichter ist, zu glauben, wenn alles gut geht. Man kann zwar eine zugegeben recht komplizierte Antwort auf die Frage geben, warum der allmächtige, gnädige Gott ein so verdorbenes Universum geschaffen hat – man argumentiert dann mit der Erlaubnis zum »freien Willen« für die Menschen und den (menschliche Arroganz!) »Gesetzen der Physik« –, aber eigentlich gibt es keine überzeugende Antworten auf diese Fragen.

Der mittelalterliche Denker Aurelius Augustinus sah das Leben des Menschen als eher unangenehme moralische Probe an, die bestanden werden musste, damit die Seele zur Seligkeit gelangen konnte. Augustinus glaubte – eine für uns eher unmoderne Anschauung – die Menschheit sei »eine verdorbene Masse, deren sündiges Treiben sie dem Tod ständig näher bringt«. Und was noch schlimmer ist: Wenn wir schließlich vor unserem Schöpfer stehen, wird er die meisten von uns nicht in den Himmel einlassen, sondern in die Hölle schicken.

Man könnte aber auch dagegen halten, dass wir im Sinne von Dr. Pangloss bereits »in der besten aller Welten« leben. Die Menschen bemerken es nur nicht. Wenn man ein wenig Menschenfreundlichkeit besitzt, hört sich diese Erklärung aber ziemlich gemein an.

In der Philosophie des Orients existiert eine eigenständige Version dieses Problems. Als Grundlage dient die Tatsache, dass es böse Menschen gibt oder zumindest solche, die Böses tun. Mit anderen Worten, Menschen sind entweder von sich aus schlecht oder von sich aus gut, aber es gibt etwas, das sie zum Bösen verführt. Der idealistische, konfuzianische Philosoph Menicus (372–289 v. Chr.) glaubte an die zweite Möglichkeit (genau wie Plato, der die Erziehung zum zentralen Punkt seiner Philosophie machte) und sagte, dass Kultur und Erziehung fehlerhaft seien. Die Frage blieb jedoch unbeantwortet, warum im Grunde gute Menschen etwas bewirken, was derartig zerstörerisch ist.

Auch die gegensätzliche Auffassung, vertreten eine Generation später durch Hsun Tzu (313–238 v. Chr.), wirft Fragen auf. Wenn die Menschen (leider) grundsätzlich böse sind und nur durch gesellschaftlichen Druck dazu gebracht werden können, besser zu werden, wieso sollte dann aus etwas Schlechtem etwas Gutes hervorgehen?

Eigentlich ist es am einfachsten, den Menschen gute und schlechte Eigenschaften zuzuschreiben. Das hätte den Vorteil, dass man mit dem chinesischen Prinzip der dynamischen Balance übereinstimmt, die die gesamte Schöpfung bestimmt, zwischen Yin und Yang, Sein und Nicht-Sein, Gut und Schlecht. Schließlich ist sogar der schlechteste Mensch in der Lage, etwas Gutes zu tun.

Die anderen Fragen (Nr. 83–89) beschäftigen sich hauptsächlich mit einer für uns recht archaisch anmutenden Vorstellung vom Wesen der Seele. Wenn es keine Seele gibt, wie selbst ernannte »moderne« Materialisten gern behaupten, was macht uns dann zu etwas Besonderem – wo liegt dann der Unterschied zu Tieren oder Maschinen? Besitzen Tiere Seelen? Ein großer Unterschied zwischen Mensch und Tier scheint darin zu bestehen, dass wir ein Gefühl dafür besitzen, was »richtig« und was »falsch« ist, wenn wir auch nicht viel damit anfangen. Das gibt uns vielleicht einen kleinen Vorsprung, wenn wir uns um die laut Augustinus begrenzte Anzahl von Plätzen im Himmel streiten. Das Gemeindemitglied wirft hier einige wichtige Probleme für den Pastor auf, dessen Bemerkung über Kommunikation übrigens einen guten Ausgangspunkt für die Beantwortung solcher Fragen liefert.

William James hätte vermutlich entgegnet, dass Wissenschaft und Religion die zwei Seiten einer Medaille sind, und die Philosophie stecke dazwischen. Wissenschaftler sehen die Welt als »Materie«, als Maschine an, sie lassen weder freien Willen noch Sinn zu. Philosophien, die dagegen die Materie auf das Bewusstsein reduzieren und uns die Möglichkeit zur Sinnsuche und zur Freiheit lassen, sind eigentlich Religionen.

Zu Rätsel 90
Wie schnell ist das Licht?

Vor allem Astronomen haben schon vor langer Zeit versucht, die Geschwindigkeit des Lichts zu messen. Galileo Galilei (1564–1642) schickte einen seiner Schüler auf einen Hügel in der Nähe und ließ ihn mit Hilfe einer Laterne Lichtsignale aussenden, um die Zeit zu messen, die das Licht benötigt, um ihn zu erreichen. Das Experiment war zwar gut ausgedacht, aber vergeblich. (Er scheiterte an den unterschiedlichen Reaktionszeiten seiner Schüler.)

Der dänische Astronom Olaf Roemer wagte ein Jahrhundert später ein etwas erfolgreicheres Experiment. Er versuchte, das Licht über eine Distanz von mehreren Millionen Kilometern zu schicken und benutzte Jupiter als Maß. Er entdeckte, dass das Licht bis dorthin mehrere Minuten benötigte.

Damit war erstmals bewiesen, dass Licht überhaupt eine Geschwindigkeit besaß. Es gab noch keinen Hinweis darauf, dass diese Geschwindigkeit immer gleich groß ist. Michelson und Morley legten trotz ihrer begrenzten Mittel jedoch den Grundstein für die moderne Physik. Die Geschwindigkeit des Lichts im Raum ist konstant. (In Flüssigkeiten ist diese Geschwindigkeit etwas niedriger, außerdem kann das Licht durch Gravitation abgelenkt werden, besonders in der Nähe von Schwarzen Löchern.) Einsteins Relativitätstheorie hat diese Tatsachen nur »wieder entdeckt«. Die Experimente führten zu vielen Folgeentdeckungen, zum Beispiel der Relativität von Zeit und Raum.

Es hört sich merkwürdig an, dass das Licht solche Eigenschaften besitzen soll. Aber nehmen wir einmal an, dass unsere Galaxie sich mit drei Viertel der Lichtgeschwindigkeit von einer anderen Galaxie fortbewegt – das geschieht übrigens tatsächlich. Nehmen wir weiter an, dass sich genau in entgegengesetzter Richtung eine andere Galaxie befindet, die sich mit nicht ganz einem Viertel der Lichtgeschwindigkeit in die andere Richtung bewegt. Die Geschwindigkeiten erhöhen sich unaufhörlich. Wenn man nun die Geschwindigkeiten addiert, wie man dies normalerweise tun kann, würde Letztere früher oder später verschwinden, weil die Lichtgeschwindigkeit überschritten wurde und uns nun nicht mehr erreichen kann. Das wäre jedoch genauso merkwürdig wie die Vorstellung, dass das Licht sich immer mit derselben Geschwindigkeit bewegt. Wir sehen zwar eine Menge seltsamer Dinge am Nachthimmel, aber verlöschende Galaxien gehören nicht dazu.

Zu Rätsel 91/92
Zwei weitere Probleme der Naturphilosophie

Das »Zwei-Spalten-Experiment«, wie es auch genannt wird, gehört zu den verwirrendsten, merkwürdigsten Untersuchungen in der

Wissenschaft, die zeigen, dass die Welt nicht so einfach ist, wie wir das gerne hätten. Thomas Young führte dieses Experiment schon 1803 zum ersten Mal durch. Er verwendete Sonnenlicht und entdeckte, dass Newtons Physik, mit der wir im Allgemeinen unsere Welt zu erklären versuchen (seit Erklärungen, die mit Magie und Zauberei zu tun haben, aus der Mode gekommen sind), eigentlich kaum wirklich erklärt, warum der Apfel dem schlafenden Newton seinerzeit auf den Kopf gefallen ist.

Es zeigt sich hier, dass Newtons Verständnis von »Vorhersehbarkeit« auf der Basis gegebener Bedingungen scheinbar nicht für Energieteilchen gilt. Selbst wenn man die Geschwindigkeit der Teilchen kennt und weiß, wo sie starten und wohin sie fliegen, kann man nicht vorhersehen, was passieren wird. Im Fall des Zwei-Spalten-Experiments benötigen wir noch eine weitere Information: Ist der zweite Spalt offen?

Der zeitgenössische Physiker Henry Stapp stellte die folgende Frage: Woher weiß das Teilchen von dem zweiten Spalt? Wie kann überhaupt jedes Ding in diesem Universum von jedem anderen Ding wissen – und das zugleich und sofort?

Einstein, dem Unordnung im Zusammenhang mit dem Universum immer ein Dorn im Auge war, diskutierte die Schlussfolgerungen seiner Kollegen. Eine vielleicht halbwegs vernünftige Erklärung dafür, warum Licht gleichzeitig die Eigenschaften von Teilchen und von Wellen annehmen kann, ist, dass Photonen in verschiedene Richtungen rotieren. Durch diese Bewegung kann ein im Uhrzeigersinn rotierendes Photon ein in entgegengesetzter Richtung rotierendes Photon neutralisieren. Damit ist aber noch nicht geklärt, warum ein Photon sich auch wie eine Welle verhalten kann.

Deshalb sprechen die meisten Physiker von »Wahrscheinlichkeitswellen« im Gegensatz zu »realen Wellen«, wie sie in Flüssigkeiten auftreten. Wahrscheinlichkeitswellen befinden sich nicht an einem bestimmten Ort, sondern tendieren nur dazu, sich in bestimmten Gegenden aufzuhalten. Deshalb muss ein Photon sich nicht festlegen, durch welchen Spalt es passieren will. Sobald wir aber wissen, durch welchen Spalt es geflogen ist (was wir mit Hilfe des Detektors herausfinden könnten), ist die Wahrscheinlichkeit, dass es auch den anderen Spalt durchqueren kann, auf null gesunken. In der Welt der Quanten (die außergewöhnlich klein ist), verhalten sich Teilchen anscheinend anders, wenn sie beobachtet werden. Der Beobachter beeinflusst das Beobachtete. Was dazu führt, dass ...

Zu Rätsel 93
Schrödingers Katze

Tja, manche Physiker sind der Ansicht, man sollte Menschen in eine solche Kiste sperren. Diese könnten das Teilchen dann nämlich unmittelbar beobachten und so jede Unsicherheit ausschließen. Übrigens erinnert dies auf merkwürdige Weise an die alte philosophische Fragestellung, ob die Realität nur dann existiert, wenn man sie sieht. Die Physiker Eugene Wigner und John Wheeler haben vor kurzem eine solche Erklärung der subatomaren Welt vorgelegt. Wigner ist sogar der Ansicht, dass die Lösung des »Körper-Geist-Widerspruchs« in der Quantenphysik zu suchen ist.

Bischof Berkeley kleidete diese Ansicht schon im 18. Jahrhundert in die Worte *esse est percipi* (»Sein heißt wahrgenommen werden«). Philosophen spekulierten darüber, ob ein umstürzender Baum irgendein Geräusch verursachen würde, wenn niemand in der Nähe wäre, um es zu hören. Ein Baum muss aber gar nicht erst umfallen, damit man seine Existenz in Zweifel zieht. Wenn niemand da ist, der ihn sieht, oder riecht ...?

Auf ähnliche Weise diskutiert man heute darüber, ob die Katze in der Lage ist, die Vorgänge im Inneren der Kiste bewusst wahrzunehmen, und dadurch ein Teilchen »zwingt«, zu existieren oder eben nicht zu existieren. So würde sie ihr Schicksal mittelbar selbst bestimmen. Zumindest einige Philosophen vertreten die Meinung, dass die Katze immerhin weiß, dass sie lebt. Diese Argument ist aber etwas fragwürdig, denn so gut wir Menschen auch wissen, dass wir lebendig sind, so schwer wäre es doch, sich des Gegenteils bewusst zu sein!

Berkeley hielt seinen Widersachern schließlich entgegen, dass alles existiere, weil Gott alles sehe.

Diese behagliche Vorstellung führte zu den folgenden beiden Limericks:

> There once was a man who said 'God
> Must think it exceedingly odd
> If he finds that this tree
> Continues to be
> When there's no one about in the Quad'.

> Dear Sir, Your ashtonishment's odd
> I am always about in the Quad
> And that's why the tree
> Will continue to be
> Since observed by, Yours faithfully, God.

Was man etwa so übersetzen könnte:

Es war einmal ein Mann, der sagte, dass es Gott doch ziemlich merkwürdig vorkommen müsse, dass dieser Baum auf dem Schulhof weiterhin existiert, auch wenn niemand da ist, ihn zu sehen.

Mein Herr, mir kommt Ihr Erstaunen merkwürdig vor, denn ich bin immer hier auf dem Schulhof. Deshalb wird der Baum auch weiter existieren, denn ich sehe ihn schließlich. Schöne Grüße, Gott.

Zu Rätsel 94
Die Weltraumjacht und das Schwarze Loch

Nein, dem Universum fehlt nichts, es wird auch mit der Raumjacht des Herrn Megasoft fertig. Unser Problem hier erinnert ein wenig an Zenons alte Paradoxie aus »Achilles und die Schildkröte«. Aus Sicht der Sterne, die der Weltraumjacht ihr Licht hinterherschicken, ist Herr Megasoft in der Position der Schildkröte. Das Licht muss eine lange Strecke aufholen. Wenn die Raumjacht mit konstanter Geschwindigkeit unterwegs wäre, wie es bei unseren heutigen Raumfähren nach Erreichen der Reisegeschwindigkeit der Fall ist, würde sie tatsächlich vom Licht eingeholt werden, Zenons Paradoxie könnte daran nichts ändern. Da die Jacht aber ununterbrochen beschleunigt, ändert sich die Sachlage. Wenn das Licht die halbe Strecke bis zur Jacht zurückgelegt hat, muss es feststellen, dass diese nun schneller unterwegs ist, also wird es für den nächsten Teilabschnitt länger brauchen als für den vorhergehenden. Ab einem bestimmten Punkt kann das Licht die Jacht nicht mehr einholen, obwohl die Jacht immer noch langsamer ist als die Lichtwellen hinter ihr.

Zu Rätsel 95/96
Schopenhauers Probleme

Diese beiden Fragen stehen nicht sonderlich hoch im Kurs und werden deshalb nur selten diskutiert. Philosophen mögen keinen Sex. Denn letztlich ist er höchst irrational. Plato ließ (in *Politeia*, Buch III, 403) Sokrates seinen Freund Glaukon in dem üblichen rhetorischen Tonfall fragen, ob »wahre Liebe mit Leidenschaft und Exzess in irgendeiner Weise in Verbindung stehen kann?« Glaukon entgegnet gefälligerweise, dass dies wohl kaum sein könne, woraufhin Sokrates, ein wenig unüblich für seine sonstige Gesprächsstrategie, die Sache zuspitzt:

SOKRATES: Wahre Liebe hat nichts mit sexuellen Freuden zu tun, also dürfen Liebende sich diesen niemals zuwenden.
GLAUKON: Selbstverständlich nicht, Sokrates.
SOKRATES: Also vermute ich, dass du Gesetze für den Staat, den wir zu gründen gedenken, erlassen wirst, die festlegen, dass ein Mann mit seinem Freund so Umgang haben und ihn küssen darf, sofern jener es erlaubt, wie es

ein Vater mit seinem Sohn tut; die Gesetze werden aber gleichzeitig bestimmen, dass dieses Verhalten nicht den geringsten Zweifel daran aufkommen lassen darf, dass damit noch etwas anderes gemeint sein könnte, ansonsten wäre ein solcher Mann ohne Würde und Ehre.

GLAUKON: So werde ich das Gesetz verabschieden.

Arthur Schopenhauer – den es wirklich gab und der tatsächlich Arthur hieß (ein sehr praktischer Vorname für eine Karriere in Europa) – hat selbstverständlich Recht. Der Reproduktionstrieb, ob man ihn nun rein sexuell betrachtet oder mit dem hehren Ziel der Fortpflanzung verbindet, ist tatsächlich so stark, dass man den Philosophen, die die Natur des Menschen erklären wollen, ohne ihn einzubeziehen, vorwerfen muss, sie wichen da etwas Wichtigem aus. Plato pflegte immerhin eine Art brüderlicher Liebe, die seither »platonisch« genannt wird. Leider lehrte die christliche Kirche in all der Zeit, die zwischen Sokrates und Schopenhauer verstrich, immer extremere Formen jener Doktrin, die in geradezu bizarren und höchst scheinheiligen Einstellungen der Sexualität gegenüber gipfelten. (Siehe dazu vor allem die Werke des französischen Philosophen Michel Foucault.)

Man könnte sagen, dass Schopenhauer nur über zwei unangenehme Erfahrungen nachdenkt. Eine davon war, auf ein Internat in Wimbledon geschickt zu werden, die andere, dass er seine erste Philosophievorlesung zur gleichen Zeit hielt wie sein gefeierter Zeitgenosse Professor Hegel. Kaum jemand kam zu seinem Seminar, was Schopenhauer so verbitterte, dass er schwor, nie wieder eine öffentliche Vorlesung abzuhalten. Sein Ärger ist nur allzu gut nachzuvollziehen. Andererseits, wie schon Aristoteles in *Nikomachische Ethik* schrieb: »Ohne Freunde würde niemand das Leben wählen, und besäße er auch noch so große Reichtümer.«

Zu Rätsel 97
Ein ziemlich endgültiges Problem
für geistig träge Philosophen

Die Definition hört sich ganz brauchbar an, Philosophen haben lange Zeit versucht, die komplexen Probleme der Ethik und Moral in eine logische Form zu pressen, um sich dann besser darauf beziehen zu können. Wenn dies möglich ist, kann eine Maschine – etwa ein Computer – sehr schnell alle möglichen Antworten durchgehen und dann die beste auswählen. Leibniz dachte tatsächlich ernsthaft über eine solche Maschine nach und sehnte den Tag herbei, an dem die Philosophen zueinander sagen würden: »Dann lasst uns das mal ausrechnen«, anstatt sich dauernd über Probleme zu streiten.

Der erste Schritt in diese Richtung besteht darin, das Problem in die Sprache formaler Logik zu bringen. Dabei müssen gewisse Argumentationsregeln befolgt werden, die vor langer Zeit schon von Aristoteles aufgestellt worden sind. Das ist sowohl in praktischer als auch in theoretischer Hinsicht ziemlich kompliziert. Nicht zuletzt muss die abschließende Folgerung schon zu Beginn feststehen, damit die logische Form gewahrt bleibt. Nichtsdestotrotz halten die Logiker an ihrer verdrehten und unverdaulichen linguistischen Akrobatik fest.

Man muss allerdings auch mit einigen lächerlichen Konsequenzen der harmlos klingenden Definition fertig werden. Eine davon besteht darin, dass jede Aussage wahr ist, die auf widersprüchlichen Prämissen beruht, auch wenn die Schlussfolgerung noch so absurd ist. Zum Beispiel:

Alle Hunde haben einen Schwanz
<u>Manche Hunde haben keinen Schwanz</u>
Der Mond besteht aus grünem Käse

Dies ist eine philosophisch gesehen gültige Aussage.

Die erste Prämisse lautet: »Alle Hunde haben einen Schwanz.« Die zweite: »Manche Hunde haben keinen Schwanz.« Daraus folgt, dass der Mond aus grünem Käse besteht, denn aus widersprüchlichen Prämissen folgt alles (Un-)Mögliche. Das liegt daran, dass es keine Aussage gibt, die auf zwei wahren Prämissen beruht, aber zu einer falschen Schlussfolgerung kommt (nur so könnte eine Überlegung »ungültig« werden), weil niemals beide Prämissen wahr sein können. (In manchen Fällen ist die Widersprüchlichkeit nicht so einfach zu erkennen wie hier.)

Ein weiteres Kuriosum der Logik ist eine Aussage, deren Schlussfolgerung notwendigerweise stimmen muss.

Geld wächst auf den Bäumen
Der König der Kartoffelmenschen mag Geld
Geld ist entweder gut oder schlecht oder keines von beidem

Eine Aussage von absoluter »Gültigkeit«.

In diesem Fall stimmt die Schlussfolgerung unabhängig von den Prämissen, da die Schlussfolgerung unter keinen Umständen falsch sein kann (basierend auf wahren Prämissen), denn die Schlussfolgerung ist an sich schon wahr. Wenn unsere Schlussfolgerung also lautet, dass »Geld entweder gut oder schlecht oder keines von beidem« ist, können wir als »Beweis« dafür anführen, dass Geld auf Bäumen wächst oder dass der König der Kartoffelmenschen Geld mag, und unsere Aussage ist immer noch vollständig gültig.

Ein letztes Beispiel: »Wenn Katzen fliegen können, dann können Hunde Auto fahren«, ist eine korrekte Schlussfolgerung, denn aus einer falschen Prämisse kann jede Aussage gefolgert werden. Die einzige Möglichkeit, das Prinzip »wenn A, dann B« zu verfälschen ist eine Situation, in der »A« wahr ist, aber »B« falsch, was in unserem Beispiel unmöglich ist.

Eine logische Diskussion führt also nicht notwendigerweise auch zu einer zuverlässigen Schlussfolgerung, was bedeutet, dass sie auch in die Irre führen kann.

(Siehe auch Glossar.)

Zu Rätsel 98
Die große Angst des Descartes

Die Antwort lautet natürlich, Sie sind es nicht. Es ist doch sehr unwahrscheinlich, dass Sie entweder träumen oder sich in einer chemischen Nährlösung befinden (oder beides, wie es in manchen Fitnessclubs der Fall zu sein scheint). Zu bedenken ist andererseits, dass Computer stetig verbessert werden (und Dämonen waren schon immer sehr clever). Wie auch immer, wir können nur aus früheren Erfahrungen schließen, dass diese Möglichkeit sehr unwahrscheinlich ist, obwohl unsere Erfahrungen natürlich auch Illusion sein könnten.

Tatsächlich ist René Descartes' berühmte Beobachtung – er machte sie, während er sich an einem französischen Steinofen wärmte – richtig, dass das einzige, was wir mit Sicherheit wissen, die Existenz von Gedanken ist (siehe auch Frage 2). Man kann sich nicht vormachen zu denken, denn auch das würde eine Denkleistung erfordern. *Cogito ergo sum*, wie der Lateiner sagt – ich denke, also bin ich. Nur darf man das »ich« in diesem Fall nicht ganz wörtlich nehmen, denn es bezieht sich grundsätzlich nicht auf eine bestimmte Person, sondern einfach auf ein denkendes Wesen.

Diese eine sichere Wahrheit, aus der Descartes den Rest der Welt ableitete, sollte eigentlich mit »Es gibt ein denkendes Wesen, das etwas denkt« übersetzt werden. Andererseits, vielleicht auch nicht.

Wer ist überhaupt dieses »denkende Wesen«?
Genau weiß das niemand. Vielleicht ist es Gott.

Die Frage danach, wie man zu Problem Nr. 99
gelangen kann (unbeantwortet)

Oder ist es ein existenzielles Problem? Ist es ein Problem unserer begrifflichen Wahrnehmung (wie es manche Philosophen ausdrücken würden – man könnte auch sagen, unserer Begriffsstutzigkeit), die allem, was wir sehen, einen Sinn zu geben versucht, auch wenn sie dabei verzerrt und verschleiert?

Plato dachte wie die meisten alten Griechen nicht so. Sie sahen die müßige Diskussion von Problemen, auf die niemand eine Antwort wusste und wahrscheinlich auch nie finden würde, als eine der wertvollsten Tätigkeiten des »rationalen Tiers« Mensch an. Natürlich konnten sie sich nur deshalb so intensiv mit der Philosophie beschäftigen, weil ein Großteil der Gesellschaft versklavt worden war. Die östlichen Traditionen mit ihren Weisen und Mönchen waren zwar weniger ausbeuterisch, aber genauso unpraktisch. Tatsächlich stammen Begriffe wie Harmonie, Seele und Reinkarnation, die fester Bestandteil der griechischen Philosophie sind, von den alten mystischen Traditionen.

Der andere Zugang zu dem Problem liegt bereits in ihm selbst begründet. Wir haben Besseres zu tun als ständig zu meditieren. Heutzutage will man etwas tun, etwas erreichen. Heutzutage sind wir Praktiker, die mit Maschinen arbeiten, welche unsere eigenen körperlichen, ja sogar unsere geistigen Fähigkeiten übertreffen. Vom Meditieren ist schließlich noch niemand reich geworden.

Auch die Philosophie ist mit der Zeit gegangen. Die spektakulären Errungenschaften der Technik, die im 19. und 20. Jahrhundert gelungen sind, führten zur Bildung einer eigenen philosophischen Bewegung – des logischen Positivismus, der als »Wiener Kreis« zwischen den Weltkriegen blühte.

In diesen Kreis wurde nur aufgenommen, wer zugab, dass nichts, was jemand äußert, einen Sinn besitzt, solange man es nicht mittels wissenschaftlicher Verfahren überprüft und nachgewiesen hat. Philosophen sind natürlich auch heute noch von Bedeutung, denn sie können überprüfen, ob verifizierte Behauptungen (und genauso die nicht verifizierten) auch korrekt und logisch formuliert wurden.

Tatsächlich verdanken die logischen Positivisten zumindest einen Teil ihrer Ideologie dem aus der Mode gekommenen, aber umsichtigen Philosophen David Hume. Es war Hume, der in *Eine*

Untersuchung über den menschlichen Verstand (1748) schon fast 200 Jahre davor geschrieben hatte:

> Nehmen wir irgendein Buch zur Hand, zum Beispiel über Theologie oder Schulmetaphysik, so lasst uns fragen: *Enthält es eine abstrakte Erörterung über Größe und Zahl?* Nein. *Enthält es eine auf Erfahrung beruhende Erörterung über Tatsachen und Existenz?* Nein. So, übergebe man es den Flammen, denn es kann nichts als Sophisterei und Blendwerk enthalten.

Aber das wäre doch eigentlich schade, vor allem, wenn man bedenkt, dass damit auch dieses Buch gemeint sein könnte.

Zu Rätsel 99
Der Sinn des Lebens

Früher war es Sache der Kirche, Fragen zur Existenz zu beantworten, aber heutzutage ist die Frage »Was ist der Sinn des Lebens?« Bestandteil vieler philosophischer Examen, um den Studierenden etwas Abwechslung zu verschaffen. Dennoch stellt sich diese Frage immer wieder, ganz konkret zum Beispiel in der Ethik der Medizin, besonders wenn es um chronisch Kranke oder sehr alte Menschen geht. Es entbehrt nicht einer gewissen Ironie, dass die Frage nach dem Sinn des Lebens die meisten Menschen erst dann interessiert, wenn es fast vorbei ist.

Wofür soll das alles also gut sein? Manche Antworten versuchen möglichst trocken und wissenschaftlich zu klingen, vielleicht um der nüchternen Fragestellung zu entsprechen, aber das heißt nicht, dass wir sie akzeptieren müssen. Es gibt schließlich Alternativen, manche sehr materialistisch, andere sehr idealistisch. Eine idealistische Alternative könnte zum Beispiel lauten, dass das Leben mit dem Wahren, Schönen und Guten zu tun hat, und dass es darum geht, diese Dinge zu entdecken. Sokrates würde hier sicher zustimmen. In gewissem Sinne geht es doch in all den hier angesprochenen Problemen genau darum. Einige östliche Philosophien würden hier jedoch einschreiten und warnen, dass es sich nur um Begriffe handle, die letztlich der Realität entbehrten.

Viel mehr Menschen favorisierten aber schon im alten Griechenland materialistische Ziele wie »Spaß haben«, »reich werden« oder »die Welt beherrschen«. Wenn das »Streben nach Glück« aber der Sinn des Lebens ist, was tun wir, wenn wir darin nicht besonders gut sind? Bei den meisten scheint das doch der Fall zu sein. Tatsächlich ist das zentrale Problem des Buddhismus die Beendung des Leidens in der Welt. Andererseits ist der Buddhismus sehr pragmatisch: Essen und Schlafen werden als Teil des Lebens angesehen und sind deshalb essenziell wichtig. Zusätzlich muss das Individuum lernen, Bürden auf sich zu nehmen, wenn dies nötig ist. Für einen Buddhisten stellt sich die Frage nach dem Sinn des Lebens, des Universums und dem ganzen Rest nicht, denn die Antwort ist das Leben selbst.

So mancher mag sich damit vielleicht nicht zufrieden geben und fragt sich (um die Lektüre noch etwas zu verlängern), ob nicht nur ein paar Glückliche einen *echten* Sinn verfolgen, während wir anderen nur irgendwie versuchen, über die Runden zu kommen.

Der im »Jahr der Revolution« (1844) im preußischen Röcken geborene Friedrich Nietzsche war augenscheinlich dieser Ansicht. Nietzsche sah den Menschen und alles Lebende in einem ständigen Machtkampf.

Nietzsche war Philosoph und Poet, er schrieb über den »Übermenschen« und Schlachten, den »Willen zur Macht« und prachtvolle Schicksale. Der Mensch hinter der historischen Figur Nietzsche war jedoch kein ganz so umwerfender Mensch, er litt oft unter Krankheiten, Kopfschmerzen und seiner Kurzsichtigkeit, hatte Darmprobleme, war für das andere Geschlecht nicht besonders attraktiv, obwohl er einen gewaltigen sexuellen Appetit besaß. Kurz gesagt, er war eine tragische Figur, genau das Gegenteil dessen, was er sein wollte.

Als Nietzsche sich als den »ersten Unmoralisten« bezeichnete (»Ich bin stolz darauf, dies Wort zu haben, das mich gegen die ganze Menschheit abhebt«), tat er dies in der Absicht, alle Werte neu zu definieren. Er begann damit, das Christentum zu demaskieren und im wörtlichen Sinne aus »gut« »schlecht« zu machen, führte diese Arbeit aber nicht zu Ende. Stattdessen gilt *Ecce Homo*, im Grunde ein blasphemischer Titel, heute als sein Hauptwerk, denn Nietzsche betrat Anfang 1889 ein Zwischenreich, aus dem es kein Zurück mehr gab: Er verlor den Verstand. Seine Schlussfolgerung sollte die eigene Außergewöhnlichkeit feiern, aber tatsächlich war es eine Hymne auf den Faschismus, wie er später in Deutschland um sich greifen sollte.

Der Begriff »Gott erfunden als Gegensatz-Begriff zum Leben – in ihm alles Schädliche, Vergiftende, Verleumderische, die ganze Todfeindschaft gegen das Leben in eine entsetzliche Einheit gebracht! Der Begriff »Jenseits«, »wahre Welt« erfunden, um die *einzige* Welt zu entwerten, die es gibt – um kein Ziel, keine Vernunft, keine Aufgabe für unsre Erden-Realität übrigzubehalten? Der Begriff »Seele«, »Geist«, zuletzt gar noch »unsterbliche Seele«, erfunden, um den Leib zu verachten, um ihn – »heilig« – zu machen, um allen Dingen, die Ernst im Leben verdienen, den Fragen von Nahrung, Wohnung, geistiger Diät, Krankenbehandlung, Reinlichkeit, Wetter, einen schauerlichen Leichtsinn entgegenzubringen! ... Endlich – es ist das Furchtbarste – im Begriff des *guten* Menschen die Partei alles Schwachen, Kranken, Mißratnen, An-sich-selcher-Leidenden genommen, alles dessen, *was zugrunde gehn soll* – das Gesetz der *Selektion* gekreuzt, ein Ideal aus dem Widerspruch gegen den stolzen und wohlgeratenen, gegen den ja-sagenden, gegen den zukunftsgewissen, zukunftsverbürgenden Menschen gemacht.

(Kaum zu glauben, aber Nietzsche wird noch heute in aufgeklärten, liberalen Kreisen hoch geschätzt.) Nietzsche schrieb ferner, dass das Ziel der Menschheit nicht in einer allgemeinen Strategie liege, die etwa auf eine Maximierung des Glücks aller hinauslaufe, sondern in den Aktivitäten ihrer Elite zu finden sei. Diese Männer (und es sind ausschließlich Männer) stehen über der Geschichte, sie sind an keine Gesetze gebunden außer daran, ihr eigenes Wohlbefinden zu erhöhen. In *Der Wille zur Macht* versucht er zu beschreiben, wie jeder Bestandteil der gesamten Natur versucht, Macht an sich zu ziehen, selbst Pflanzen und Steine.

Man erkennt, dass Nietzsche sich schon früh für die Wettkämpfe der alten Griechen interessiert hat. In der griechischen Antike hatte das Leben tatsächlich aus einer Reihe von Kämpfen bestanden, für die Sportler und Kämpfer, die Musikanten und Dichter, und sogar für Philosophen wie Sokrates. Sokrates war nach Nietzsches Meinung ein sehr mächtiger Mann, übertroffen nur noch von Heraklit, dem Aristokraten von Ephesus (Spitzname: »das Dunkle«), den Nietzsche als Anhänger des lustvollen Zerstörens bezeichnete: »die Zerstörung, das entscheidende Element dionysischer Philosophie, Krieg und Fleisch gewordene Antithese, Werden als radikale Ablehnung selbst der Konzeption von »Sein«.

Nietzsche wendet seine Machttheorien auf die Geschichte an und kommt zu erhellenden Ergebnissen. Der »Übermensch« ist für ihn die logische Konsequenz seiner Theorie, ein Individuum, das seine Macht konsequent ausübt und dabei von Begriffen wie Gerechtigkeit oder Mitleid unbeeindruckt bleibt. Wenn man das Wort »Macht« durch »Geld« ersetzt (schließlich heißt es nicht umsonst »Geld ist Macht«), sieht man, wie weit verbreitet diese Ansicht bis heute ist.

Philosophisch gesehen vertritt Nietzsche auf extreme Weise die scheinbar harmlose Ansicht, dass das Leben nur den Sinn hat, den ihm das Individuum geben kann. Der einzige Weg aus der Vergeblichkeit und Sinnlosigkeit heraus besteht darin, zu handeln und zu erschaffen – in der reinsten Form ist dies die Ausübung von Macht.*

---

* Nietzsches Gefühl der Sinnlosigkeit wurde durch seine Interpretation der alt-griechischen Theorie von der »ewigen Wiederkehr« unterstützt. Dabei durchläuft das Universum einen vorherbestimmten Zyklus, ähnlich des Urknalls, der alles und jedes regelmäßig zerstört und wieder erschafft. Nietzsche hielt dies, wie die alten Griechen, für eine astronomische Tatsache, die nur noch bewiesen werden musste. Allerdings kann man auch ohne höhere Mathematik relativ einfach nachweisen, dass selbst eine kleine Anzahl von Atomen in einem begrenzten Raum über einen unbegrenzten Zeitraum hinweg immer wieder neue Verbindungen eingehen könnte, ohne dass ein einziges Muster wiederholt würde.

Während die konventionelle Lehre, vor allem im Christentum, aber auch bei Sokrates besagt, dass der Mensch gut sein soll und durch die Güte zur Glückseligkeit findet, nennt Nietzsche dies eine »sklavische Moral«, die aus Schuld, Schwäche und Zorn geboren wurde, wobei Güte nichts ist als die Abwesenheit von Zorn.

Eine etwas gemäßigtere, humanistische Herausforderung für die Religion besteht demgegenüber in der Diskussion, ob es tatsächlich der Sinn des Lebens sein kann, Gott zu dienen und zu preisen oder in den Himmel zu kommen. Logisch betrachtet gibt es entweder keinen Gott oder es gibt ihn, und er kommt ganz gut zurecht, auch wenn er nicht gepriesen und bedient wird. (Wenn man genauer darüber nachdenkt, wäre jede andere Möglichkeit nun wirklich abwegig, wie der Kirchgänger dem Pastor gegenüber vermutlich bemerken würde. Im Übrigen, gesetzt den Fall, dass wir es erreichen, wofür soll das ewige Leben überhaupt gut sein ...?)

Gut gemeinte, aber platte Banalitäten, die darauf abzielen, es ginge darum, »anderen zu helfen« oder im Sinne der Humanisten, allgemeiner ausgedrückt, das »Glück zu mehren«, scheitern schon daran, dass sie nicht den Sinn des Lebens für die Person erklären, der geholfen wird. Wenn es jedermanns Aufgabe ist, anderen zu helfen, wäre es dann nicht besser, wenn es keine Menschen gäbe, sodass auch kein Hilfebedarf besteht?

All diese Erklärungsversuche führen letztlich zu der bitteren Wahrheit zurück, dass es einfach keinen bestimmten Sinn des Lebens geben *kann*. Man muss einfach nur damit weitermachen, wie T. S. Eliot es in seinem postmodernen, neurotischen Theaterstück *The Cocktail Party* ausdrückt. Wir sollten uns keine Sorgen mehr drüber machen, ob wir vielleicht nicht existieren.

Wenn es aber keinen gewichtigen Grund dafür gibt zu leben, warum haben wir dann diesen extrem ausgeprägten Lebenserhaltungstrieb? Und warum macht es uns traurig, wenn andere Menschen sterben (zumindest manche)?

Wer versucht, solche Fragen mit wissenschaftlichen Mitteln wie der genetischen Determination zu erklären (er würde sich wahrscheinlich nicht Philosoph nennen), bietet alles andere als eine Erklärung, sondern nur Beschreibungen von Mechanismen an. Die Frage, wie wir sehen, mit Stimulationen der Rezeptoren auf der Netzhaut zu erklären, bedeutet nichts anderes, als diese Frage auf einem niedrigeren Niveau zu beantworten. (Was hat die Stimulation der Rezeptoren schon mit dem Sehen zu tun?) Den Zweck der menschlichen Existenz mit Reproduktion zu erklären, bedeutet nur, den Mechanismus der Fortpflanzung darzustellen. Genauso könnte man sagen, der Sinn bestünde darin zu essen. (Womit wir fast schon wieder bei den Buddhisten wären und, ehrlich gesagt ...)

Probleme wie dieses rechtfertigen die Existenz der Philosophie und lassen uns einen Blick in den bedrohlichen Schlund werfen, in den stillen Abgrund des Unlösbaren – hoffentlich fallen wir nicht hinein. Schließlich und endlich, wenn wir nicht hier wären, gäbe es auch das Universum nicht.

Oder?

Glossar

In diesem Glossar sind die wichtigsten Begriffe und Personen noch einmal alphabetisch aufgelistet und mit zusätzlichen Hintergrundinformationen versehen. Ich erhebe jedoch keinen Anspruch auf Vollständigkeit oder Objektivität. Der interessierte Leser, der gerne tiefer in die Materie eintauchen möchte, wird hiermit auf die Literaturhinweise am Ende des Buchs verwiesen.

Aristoteles wurde 384 v. Chr. geboren, gerade rechtzeitig, um Plato noch kennen zu lernen. Er kannte sich praktisch in jedem Themengebiet erstaunlich gut aus. Ein großer Teil seiner Werke ist erhalten geblieben, die meisten von ihnen übten im Lauf der Geschichte großen Einfluss aus. Aristoteles hat jedoch noch mehr geschrieben, darunter einige sehr lebendige Dialoge in der Tradition seines berühmten Vorgängers. Sie sind leider nicht überliefert, übrig geblieben ist nur eine pseudo-wissenschaftliche Sammlung von Notizen und Theorien. Trotzdem oder vielleicht gerade deshalb hat kein anderer Denker auf das Mittelalter so großen Einfluss gehabt. Thomas von Aquin zum Beispiel übernahm viele Gedanken Aristoteles' in die katholische Glaubenslehre.

Weder Aristoteles noch andere griechische Philosophen unterschieden zwischen Naturwissenschaft und Philosophie. Aristoteles interessierte sich insbesondere für die Beobachtung der Natur, seine biologischen Studien wurden unter anderem von Darwin hoch geschätzt. Aristoteles' Ansicht, dass Organismen eine bestimmte Funktion besitzen, auf ein sinnvolles Ziel zustreben und die Natur also nicht von Willkür bestimmt wird, hat die spätere Wissenschaft nachhaltig beeinflusst. Wenn Pflanzen sich der Sonne zuwenden, suchen sie »das Licht«. Die Funktion des Menschen bestand seiner Auffassung nach darin zu denken, denn hier ist er jedem anderen Lebewesen überlegen – »Der Mensch ist ein rationales Tier«. Diese Ansicht steht im Gegensatz zu den Auffassungen von Biologen und anderen Naturwissenschaftlern, die alles mit Bezug auf »Mechanismen« zu erklären versuchen – als ob damit irgendetwas erklärt würde.

Als Aristoteles' größte Errungenschaft gilt allgemein seine »Lehre des kategorischen Schlusses« (Syllogistik) – die formale Logik – die streng genommen keine Philosophie ist, aber mit ihr zusammenhängt. Wie viele Zeitgenossen sah er in der formalen Logik den Schlüssel für den Fortschritt der Philosophie. Die traditionellen »Sätze des Denkens« lauten:

- alles, was ist, ist (Satz von der Identität)
- nichts kann gleichzeitig sein und nicht sein (Satz vom Widerspruch); und
- alles muss entweder sein oder nicht sein (Satz vom ausgeschlossenen Dritten)

Natürlich glaubt niemand an auch nur ein einzelnes dieser Gesetze, aber es macht Eindruck, wenn man sie bei Diskussionen verwendet.

Ferner stammt die *Nikomachische Ethik* von Aristoteles, eines der wegweisenden Bücher in der Moralphilosophie, in dem beschrieben wird, was die alten Griechen für Tugend hielten, in dem aber auch von einem großherzigen, nicht übertrieben bescheidenen Mann die Rede ist, der mit tiefer Stimme und gleichmäßiger Betonung spricht. Zentraler Punkt der Ethik des Aristoteles ist, dass das wahre Ziel des Menschen im Streben nach *Eudaimonia* besteht, ein griechischer Ausdruck für eine spezifische Form von Glück. Die *Eudaimonia* verbindet drei verschiedene Aspekte: das reine Wohlbefinden, politische Anerkennung und die Erträge der Kontemplation. Im Grunde ist damit natürlich Philosophie gemeint.

Aristoteles sah die Seele als eine Art »Lebensprinzip«, als »Lebenskraft« an, die untrennbar mit dem Körper verbunden ist. Im letzten Buch von *De anima* schreibt er:

Es gibt also einen Geist von solcher Art, dass er alles wird, und wiederum einen von solcher, dass er alles bewirkt als ein besonderes Verhalten, wie etwas das Licht. Denn auf eine gewisse Weise macht auch das Licht die der Möglichkeit nach vorhandenen Farben zu wirklichen Farben. Dies ist der abgetrennte Geist, der leidenslos ist und unvermischt [...] Aber erst wenn er abgetrennt ist, ist er das, was er wirklich ist, und nur dieses ist unsterblich und ewig. Wir erinnern uns aber nicht daran; denn der eine Teil ist wohl leidenslos, der leidensfähige Geist aber verträglich, und ohne diesen gibt es kein Denken.

Diese Textpassage hat vielen Übersetzern und Kommentatoren große Schwierigkeiten bereitet. Dan O'Connor interpretierte sie dahingehend, dass man einfach zugeben müsse, dass niemand weiß, was sie bedeutet. Thomas von Aquin identifizierte den Geist mit der unsterblichen Seele im Christentum, während andere behaupteten, er bezeichne Gott.

Augustinus wurde im Jahr 384 n. Chr. im heutigen Algerien geboren. Er studierte in Nordafrika und schloss seine Studien in Karthago ab. Seine Ausbildung fand hauptsächlich auf den Gebieten Literatur und Rhetorik statt. Augustinus arbeitete später als Professor in Karthago und in Mailand. Seine akademische Laufbahn gab er bereits frühzeitig auf, um seiner religiösen Berufung nachzugehen. Seine schriftstellerische Tätigkeit führte er aber fort und verfasste ein umfangreiches Lebenswerk, darunter Kommentare zur Bibel, doktrinelle Diskussionen, historische Schriften über den Einfluss des Paganismus und vor allem seine *Bekenntnisse*, in denen er seine eigene spirituelle Erleuchtung beschrieb.

Typisch für die Bekenntnisse ist die sieben Kapitel umfassende Beschreibung einer Selbstkasteiung, die Augustinus durchführte, nachdem er im Birnbaum eines Nachbarn geräubert hatte, ohne hungrig gewesen zu sein. Später gestand er sich ein, dass dies nur ein dummer Streich gewesen sei – oder Bosheit.

Sieh mein Herz an, o Gott, sieh mein Herz! In Abgrundtiefe lag es, und doch hast du dich seiner erbarmt. Sieh, nun soll dies mein Herz dir sagen, worauf ich eigentlich aus war, so für nichts und wieder nichts böse zu sein, wo es doch für meine Bosheit keinen anderen Grund gab als die Bosheit selbst. Hässlich war sie, und ich liebte sie doch, liebte mein Verderben, liebte mein sündliches Vergehen, nicht das, weswegen ich mich scheinbar verging, sondern das Vergehen selbst.

Die zweite wichtige Quelle für den Hass gegen sich selbst ist für Augustinus die Wollust. Er hielt den Geschlechtsverkehr für einen notwendigen physischen Akt wie das Herstellen eines Tisches, aber Begleiterscheinungen wie Leidenschaft und Irrationalität machten ihn zu Sünde. Er selbst hatte neben seiner Frau mehrere Geliebte, doch war er sich im Geiste klar über das richtige Verhalten. So lautet ein berühmtes Zitat: »Gib' mir Keuschheit und Enthaltsamkeit, aber noch nicht jetzt.«
Siehe auch die Erörterungen der Fragen 80–89 und 95/96.
(Nicht zu verwechseln mit dem heiligen Thomas von Aquin oder dem heiligen Anselmus.)
Thomas von Aquin (geboren 1228) kam aus einer vornehmen und politisch einflussreichen italienischen Familie. Viele seiner Schriften befassen sich mit dem Wesen Gottes, etwa damit, ob Gott alles weiß oder nur alles, was wichtig ist, wie die Universalien Platos. Es war der Heilige Anselmus (1033–1109), der schrieb, dass Gott existieren muss, weil es großartiger ist zu existieren, als nicht zu existieren ... (er führte noch weitere, ähnlich heikle Argumente an).

Von Bischof George **Berkeley** (1685–1753) stammt die Doktrin *esse est percipi,* die besagt, dass etwas nur dadurch existiert, dass es wahrgenommen wird. Auf den Einwand, dass in diesem Fall ein Baum im Wald aufhören würde zu existieren, wenn gerade niemand in seiner Nähe sei, erwiderte er, dass Gott zu jeder Zeit alles sieht. Er hielt dies für ein unschlagbares Argument.
Berkeley schrieb seine wichtigsten Werke im Alter zwischen 20

und 30: *Versuch einer neuen Theorie der Geschichtswahrnehmung* 1709, *Eine Abhandlung über die Prinzipien der menschlichen Erkenntnis* ein Jahr darauf und *Drei Dialoge zwischen Hylas und Philonous* im Jahr 1713. In diesem letzten Buch findet sich die dezidierteste Diskussion des Themas Materie. Hylas repräsentiert den rationalen, wissenschaftlichen Standpunkt, während Philonous Berkeleys eigene Meinung wiedergibt. Im Verlauf eines im besten Sinne sokratischen Dialogs erklärt Hylas, er habe gehört, dass sein Freund hier glaube, es gäbe so etwas wie Materie gar nicht. »Kann es eine phantastischere, dem gesunden Menschenverstand dramatischer widersprechende Manifestation der Skepsis geben als diese Aussage?«, fragt er.

Philonous versucht zu erklären, dass sinnliche Wahrnehmung tatsächlich eine geistige Leistung sei, und veranschaulicht dies am Beispiel von lauwarmem Wasser. Wenn man kalte Hände hat, scheint es warm zu sein, wenn man aber warme Hände hat, fühlt es sich kalt an. Hylas akzeptiert dies, beruft sich aber auf andere Eigenschaften der Sinne. Philonous fährt fort, dass ein Geschmack entweder angenehm oder unangenehm und damit eine geistige Größe sei, und dasselbe gelte für Gerüche. Hylas atmet tief durch und sagt, dass Geräusche sich bekanntlich nicht durch ein Vakuum fortsetzen können. Er folgert daraus, dass sie durch die Bewegung von Luftmolekülen entstehen und keine geistigen Größen sein können. Philonous entgegnet, dass dies, wenn es sich um ein tatsächliches Geräusch handele, keine Ähnlichkeit mit dem besitze, was wir als Geräusch bezeichnen, sodass man in diesem Fall Geräusche sehr wohl als geistiges Phänomen ansehen könne.

Dasselbe Argument widerlegt Hylas bei der Frage nach Farben, die unter bestimmten Bedingungen, wie man weiß, verschwinden können, zum Beispiel, wenn man eine bei Sonnenuntergang golden scheinende Wolke aus der Nähe betrachtet und feststellen muss, dass es sich um eine graue dunstige Masse handelt.

Auch die Größe einer Sache hängt von der Perspektive des Betrachters ab. Hylas sagt, dass man das Objekt und seine Wahrnehmung unterscheiden müsse. Der Akt der Wahrnehmung sei natürlich ein geistiger Prozess, aber unabhängig davon gäbe es noch ein materielles Objekt. Philonous entgegnet: »Alles wird zunächst als Idee wahrgenommen, und kann eine Idee außerhalb des Geistes bestehen?« Mit anderen Worten: Damit etwas wahrgenommen wird, muss es zunächst einen Geist geben, der wahrnehmen kann.

Berkeleys Schlussfolgerung besteht darin, dass es logische Argumente für die Annahme gibt, dass ausschließlich der Geist und geistige Ereignisse existieren. Diese Ansicht wurde später von Hegel und anderen Philosophen übernommen.

René **Descartes** wurde 1596 in Poitiers geboren. Er besuchte eine der ersten jesuitischen Schulen und später die Universität. Danach ging er (sicherlich im Sinne Platos) zum Militär, um seine Ausbildung zu vervollständigen. Während er in Holland bei der Armee weilte, hatte er zwei Träume, die ihm zeigten, wie »der Geist der Wahrheit die Schätze der Wissenschaft« offenbart, mit anderen Worten, er begann, die deduktive Methode, die in der Algebra zur Anwendung kommt, auch auf andere Gebiete der Mathematik auszuweiten und schließlich sogar auf die Gesamtheit aller Probleme.

Descartes war ein äußerst begabter Mathematiker, er war der erste, der geometrische Figuren mit Hilfe von Gleichungen beschrieb – diese Methode ist heute als Cartesische Geometrie bekannt. Im Bereich Philosophie sind als seine wichtigsten Arbeiten der *Von der Methode des richtigen Vernunftgebrauchs und der wissenschaftlichen Forschung* (1637) und die *Meditationen* (1641) zu nennen.

Unglücklicherweise traf er die Entscheidung, den ihm von der Königin von Schweden angebotenen Posten als persönlicher Lehrer anzunehmen. Dafür musste er sein geliebtes Holland verlassen, wo er mit Vorliebe den ganzen Tag meditierend in der Nähe eines Ofens verbrachte, und in das kalte Schweden übersiedeln, wo die Königin am liebsten bei Tagesanbruch zu philosophieren pflegte, also gegen fünf oder sechs Uhr morgens. Sokrates hatte zwar gerne im Schnee meditiert, aber Descartes konnte sich an dieses Leben nicht gewöhnen. Innerhalb eines Jahres wurde er krank und verstarb.

Descartes gilt als Begründer der modernen Philosophie. Er war nach Aristoteles der erste, der die Welt mit Hilfe von Grundprinzipien beschrieb. Außerdem besaß er eine frische und lebendige Sprache, mit der er gezielt ein möglichst großes Publikum adressierte; daher veröffentlichte er seine Arbeiten auch stets in zwei Sprachen: in Latein, der Sprache der Philosophen, und in Französisch für die Allgemeinheit. So wurde die Philosophie zum Allgemeingut, zumindest bis Kant sie wieder zu einem Monolog verkommen ließ, den nur Eingeweihte verstehen konnten.

Albert **Einstein** (1879– 1955) gilt im Allgemeinen nicht gerade als Philosoph. Doch genau das war er. Einstein führte Gedankenexperimente durch, die andere Wissenschaftler in den folgenden sechs Jahrzehnten mit Hilfe komplizierter (und meistens sehr kostspieliger) Experimente zu verifizieren versuchten. Mit ihm verbindet man den Ausspruch »alles ist relativ«, der vor allem politischen und moralischen Relativisten gute Dienste leistet. Eigentlich interessierte sich Einstein aber mehr für das, was *nicht* relativ ist, für alles Eindeutige und Unveränderliche, unabhängig von Zeit und Raum. Er überlegte sogar, ob er seine Relativitätstheorie nicht in »Invarianz-Theorie« umbenennen sollte.

Einstein erklärte die Lichtgeschwindigkeit zur unveränderlichen Größe, ebenso alle elektromagnetische Energie wie Radiowellen oder Röntgenstrahlung. Dafür musste er Zeit und Raum allerdings zu veränderlichen Größen erklären, die er als »Raumzeit« zusammenfasste (sie wird durch Gravitation und Beschleunigung bestimmt – also durch relative Größen). Er war damit jedoch keineswegs der erste. Schon die alten Griechen, aber auch Philosophen anderer Jahrhunderte hatten die Wechselbeziehung zwischen Zeit und Raum diskutiert. Augustinus dachte, dass die Zeit von ihren »Betrachtern« abhängig sei, und Gottfried Leibniz lehnte die absoluten Größen Zeit und Raum vor allem deshalb ab, weil er dadurch die Erklärung für die Entstehung des Universums als gefährdet ansah.

Gottlob **Frege** (1848–1925) fragte danach, wie man denn Zahlen wie $\sqrt{-1}$ oder auch null auf die Anzahl von Keksen in einer Dose beziehen kann. Er folgerte, dass Zahlen nur für Ideen, nicht aber für Dinge stehen. Frege versuchte daraufhin, wie Russell etwas später, die Mathematik auf eine rein logische Basis zu stellen. Er entwickelte dabei eine neue Notation, die kaum jemand verstand, aber als ausgezeichnete Errungenschaft angesehen wurde. Frege wendete sein Prinzip später auch auf Worte und ganze Sätze an. Er unterschied zwei Arten von Inhalten: Sinn und Bedeutung. (Zur Verdeutlichung sei hier der philosophische Evergreen vom »Abend-« und »Morgenstern« erwähnt. Mit beiden ist der Planet Venus gemeint. Anfangs dachte man, dass es sich dabei um zwei verschiedene Planeten handle, aber in Wirklichkeit unterscheiden sie sich nur ihrem »Sinn« nach.) *Sinn* meint die eigentliche »Bedeutung« des Begriffs, während *Bedeutung* erklärt, worauf sich das Wort bezieht.

Wie Berkeley schrieb David **Hume** (1711–1776) seine beiden wichtigsten Bücher, *Eine Abhandlung über die menschliche Natur* und *Eine Untersuchung über den menschlichen Verstand*, bevor er sein 30. Lebensjahr erreichte. Im Jahr 1744 bemühte er sich vergeblich um eine Anstellung als Universitätsprofessor und wurde darauf zuerst Lehrer eines Verrückten und später Sekretär eines Generals.

Hume bezog die Logik auf die Philosophie und musste erkennen, dass er für beides keine Verwendung hatte. Als Erstes fiel seiner Arbeit das »Bewusstsein« oder »das Selbst« als Entität zum Opfer. Das Bewusstsein bezieht sich immer auf etwas oder ist Folge eines Eindrucks wie heiß, kalt oder Ähnliches. Das Selbst ist also eine Anhäufung von Wahrnehmungen. Man kann das Selbst an sich nicht wahrnehmen, schon gar nicht bei jemand anderem. Hume ging also noch einen Schritt weiter als Berkeley, der die Abwesenheit der Materie nachzuweisen versucht hatte, indem er bewies, dass es auch keinen Geist gibt.

Danach beschäftigte sich Hume mit dem Prinzip von Ursache und Wirkung, das Descartes als notwendige Wahrheit betrachtet hatte, und entschied, dass es nur wahrscheinliches Wissen bezeichnen konnte. Wenn man eine Reihe von direkt aufeinander folgenden Ereignissen beobachtet, entsteht der Eindruck, dass ein Ereignis von dem vorhergehenden verursacht wurde. Wir können aber den Grund dieser Verknüpfung nicht bestimmen. Wenn man zum Beispiel einen Apfel isst, erwartet man einen bestimmten Geschmack. Wenn der erste Bissen etwa nach Banane schmecken würde, empfänden wir dies als ungewöhnlich. Hume nennt so etwas nachlässiges Denken. Tatsächlich handelt es sich um einen neuen Aspekt des Induktionsproblems. »So ist Gewohnheit die große Führerin im Menschenleben. Dieses Prinzip ist es allein, das unsere Erfahrung für uns nützlich macht und uns für die Zukunft einen ähnlichen Geschehensablauf erwarten läßt, wie jene, die sich in der Vergangenheit gezeigt haben.«

Daraus könnten wir schließen, dass alles Wissen fehlerhaft ist und wir nichts wirklich glauben können. Hume war dieser Ansicht, aber er war auch ein Gentleman. Deshalb bot er einen Ausweg aus »Unvorsichtigkeit und Nachlässigkeit« – wir sollten die Fehler in unseren Argumenten nicht beachten und die Vernunft anwenden, wann immer uns dies angemessen erscheint. Die Philosophie bleibt damit lediglich ein annehmbarer Zeitvertreib (so dachte er ohnehin) und ist kein Grund dafür, unsere Überzeugungen zu ändern.

Immanuel **Kant** (1724–1804) wird häufig als größter Philosoph der Moderne bezeichnet, was die anderen in keinem guten Licht erscheinen lässt. Er verbrachte sein Leben als Akademiker einerseits mit der Wissenschaft und andererseits mit theoretischer Philosophie. Seine wissenschaftliche Arbeit ist nicht gerade sensationell. Er glaubte, dass alle Planeten unseres Sonnensystems intelligentes Leben beherbergten, und er nahm an, dass die Intelligenz umso größer sei, je weiter der Planet von der Sonne entfernt ist.

Kants bekanntestes Werk, das er selbst als »die kopernikanische Revolution der Philosophie« bezeichnete, ist die *Kritik der reinen Vernunft*, veröffentlicht im Jahr 1781 und acht Jahre später neu aufgelegt. Nach Kant existiert die äußere Welt zwar, doch wir können die »Dinge an sich« nicht direkt erfahren, sondern haben nur unsere

Sinneswahrnehmung davon. Die Dinge an sich sind nicht Teil von Zeit und Raum, sie können auch nicht mit unseren Konzepten beschrieben werden (Kant spricht hier von »Kategorien«). Der Grund dafür ist, dass Zeit, Raum und alles andere subjektiv sind, sie sind Teil unseres Wahrnehmungsapparats – metaphorisch gesprochen sind sie die Brillengläser, durch die wir die Realität wahrnehmen. Da wir grundsätzlich räumliche Brillengläser tragen, sehen wir auch immer alles in räumlichen Dimensionen.

In der *Kritik der praktischen Vernunft* (1781) und der *Grundlegung zur Metaphysik der Sitten* (1785) erklärt Kant die Notwendigkeit, dem Kategorischen Imperativ zu folgen. Er lautet:

Handle nur nach derjenigen Maxime, durch die du zugleich wollen kannst, dass sie ein allgemeines Gesetz werde.

Kant veranschaulicht diesen Imperativ anhand einiger Beispiele. Eines davon besteht darin, sich Geld zu leihen, ohne es zurückgeben zu wollen. Wenn jeder so handeln würde, sagt Kant, dann würde niemand seinem Nächsten trauen, also würde die Institution »Versprechen« verschwinden. Wenn wir etwas als »falsch« bezeichnen, meinen wir eigentlich, dass es »unlogisch« ist. Kant war strikt dagegen, die Richtigkeit einer Handlung an ihren Folgen zu messen. Seiner Meinung nach wurde eine Handlung ausschließlich durch das Prinzip gerechtfertigt, auf dem sie basiert. Diebstahl, Mord und das Verweigern von Hilfe wurden damit als »unlogisch« und als Widerspruch in sich selbst ausgeschlossen. Kant räumt ein, dass eine Lebensphilosophie, in der jeder sich selbst der Nächste ist, in gewissem Sinne verallgemeinert werden kann, besteht jedoch darauf, dass sie dennoch einen Widerspruch beinhaltet, da jeder früher oder später Hilfe benötigt.

John **Locke** wurde 1632 kurz vor Ausbruch des englischen Bürgerkriegs in Bristol geboren. Er beschäftigte sich im Lauf seiner Karriere mit Medizin, Politik und Philosophie. Man bezeichnet ihn im Allgemeinen als geistigen Vater der amerikanischen Verfassung.

Locke wird ferner auch als Begründer des »englischen Empiris-

mus« angesehen, obwohl auch Bacon und Hobbes die zentrale Rolle
der sinnlichen Wahrnehmung bei der Suche nach der Wahrheit betont hatten. Locke vertrat die Ansicht, dass wir die »Bestandteile des
menschlichen Wissens« einerseits mittels unserer Sinne direkt aus
der physischen Welt oder andererseits indirekt aus der inneren, geistigen Welt mittels Selbstbeobachtung erfahren. Er fährt fort:

All jenen erhabenen Gedanken, die über die Wolken emporra-
gen und bis an den Himmel selbst dringen, haben hier ihren
Ursprung und ihren Stützpunkt; in dem ganzen weiten Bereich, den der Geist durchschweift, bei jenen entlegenen Spe-
kulationen, durch die er vielleicht über sich selbst hinausgeho-
ben zu werden scheint, kommt er auch nicht um Haaresbreite
über jene Ideen hinaus, die ihm die *Sinne* oder *Reflexion* zur
Betrachtung dargeboten haben.

Lockes Theorien waren sehr wegweisend. Er unterschied zum Beispiel zwischen primären und sekundären Qualitäten. Primäre Qualitäten sind untrennbar mit dem Objekt verbunden, dazu gehören:
Festigkeit, Ausdehnung, Form – im Ruhezustand oder in Bewegung –
sowie Anzahl. Die sekundären Qualitäten existieren nur im Auge
des Betrachters: Farben, Geräusche, Gerüche und Ähnliches. Sekundäre Qualitäten können leicht Fehleinschätzungen unterliegen,
etwa durch blaue Brillengläser, Schnupfen und anderes. Dasselbe
kann aber auch mit den primären Qualitäten passieren, wie schon
George Berkeley angemerkt hat. Lockes Ansicht, dass die physische Welt lediglich aus »bewegter Materie« besteht, wurde zur allgemein akzeptierten Grundlage für die Theorien über Geräusche,
Wärme, Licht und Elektrizität. Obwohl die heutige Quantenmecha-
nik mit vollkommen anderen Prinzipien arbeitet, basiert das Verständnis der Menschen immer noch auf dieser Ansicht, ungeachtet
ihres Wahrheitsgehalts.

Locke hätte damit keine Schwierigkeiten. In Ablehnung gegenüber der These, dass die Vernunft ein logischer Prozess ist, der auf
syllogistischen Ableitungen beruht, konstatierte er, Gott habe den
Menschen schließlich nicht lediglich als zweibeinige Kreatur er-

schaffen, und es Aristoteles überlassen, ihm die Fähigkeit zu denken einzuhauchen.

Manche Philosophen werden behaupten, **Logik** sei fortgeschrittene Philosophie und so schwierig, dass man sie nicht erklären könne. Glauben Sie ihnen nicht – nichts davon ist wahr. Philosophen beschäftigen sich schon seit Euklid, dessen elegante mathematische Beweisführung den philosophischen Diskussionen der Alltagssprache deutlich überlegen schien, mit der Logik – dem Versuch, unseren Begriffen, unserer Sprache und unseren Ideen eine Ordnung zu unterlegen. Logik bedeutet, die Welt mit mathematischen Mitteln zu beschreiben, die mit ihr nur wenig Ähnlichkeit besitzen und ausschließlich auf zuvor getroffenen Annahmen basieren. Es gibt eine ganze Reihe empirischer Beweise – ganz zu schweigen von den intuitiv gewonnenen – dafür, dass die Annahme, das Denken sei eine Art geistiger Logik »falsch« ist, da die Menschen eher mit Hilfe geistiger Modelle und mit Hilfe ihrer Vorstellungskraft denken.

Dennoch basiert ein großer Teil der philosophischen Logik auf Aristoteles' »Syllogoistik«, in der 256 mögliche verschiedene Argumentationstypen angeführt werden, von denen nur wenige, insofern sie auf korrekten Annahmen gründen, immer wahre Schlussfolgerungen nach sich ziehen. Leibniz glaubte, die Logik würde den Menschen ermöglichen, eine Maschine zu bauen, die alle Fragen der Menschheit beantworten kann (»Lasst uns das mal ausrechnen«). Diese Illusion hat durch die Entwicklung des Computers neue Nahrung erhalten.

Die Logik hat jedoch auch ihre Nachteile. Sie produziert nämlich nur Tautologien. Wenn man etwas Neues entdecken will, kann man sie nicht verwenden – man kann höchstens Klarheit in etwas Verwirrendes bringen. Außerdem kann sie gefährlich sein. G. K. Chesterton weist in seiner *Orthodoxy* (1908) darauf hin, dass durch sie ganz normale Menschen in wahnhafte Zustände verfallen können.

[N]icht die Dichter, sondern die Schachspieler werden verrückt; Mathematiker verlieren den Verstand; und Bank-Kassierer; aber schaffende Künstler sehr selten. Ich gedenke keineswegs die Logik anzugreifen, ich sage nur, dass die Gefahr des Verrücktwerdens in der Logik liegt und nicht in der Fantasie.

Formale Logik: Formale Logik ist im Grunde die »Wissenschaft des deduktiven Beweises«. Wie die nachfolgend erläuterte moderne Logik soll sie erklären, womit Frege und Russell arbeiteten, als sie sich mit der Frage 1 beschäftigten. (Und sie soll die Leser vor Menschen warnen, die versuchen, sie mit unverständlichen formalen Argumenten zu verwirren!) Formale Logik basiert auf dem Grundsatz, dass eine Schlussfolgerung korrekt ist, wenn es auch die Annahmen sind. Das erscheint plausibel. Allerdings kann man die inhaltliche Bedeutung eines Arguments besser verstehen, wenn man abstrakte Symbole durch inhaltliche Bedeutungen ersetzt. Lewis Carroll, der nicht nur *Alice im Wunderland* geschrieben hat, sondern auch ein begabter Mathematiker war, verhöhnte die Logik mit dem so genannten »Hummer-Argument«:

ALLE roten gekochten Hummer sind tot
UND alle toten roten Hummer sind gekocht
ALSO sind alle gekochten toten Hummer rot

(Das bedeutet natürlich überhaupt nichts, im Sinne der Logik ist es nicht einmal deduktiv gültig, und genau darauf spielt Carroll an. Stellen Sie die einzelnen Punkte einmal in einem Venn-Diagramm zusammen, wenn Sie noch nicht überzeugt sind.)

Danke, mehr wollte ich gar nicht wissen ...

Die formale Logik hat ihren Ursprung in den Syllogismen (Argumente, die aus zwei Prämissen und einer Schlussfolgerung bestehen; im Mittelalter bezeichnete man sie alle mit Namen wie »Barbara«) aus Aristoteles' *Erste Analytik*. Ein Beispiel:

Alle Äpfel wachsen auf Bäumen
Alle Golden Delicious sind Äpfel
Alle Golden Delicious wachsen auf Bäumen

Das Ziehen von Schlussfolgerungen nennt man »Argument«, und Argumente sind entweder gültig oder ungültig, je nachdem, ob sie den Regeln der logischen Vernunft gehorchen oder nicht. Diese Unterscheidung ist nicht mit »wahr« oder »falsch« zu verwechseln, denn diese Bezeichnungen werden auf Fakten angewandt, nachdem die Annahmen oder Prämissen überprüft worden sind. Damit ein Argument gültig ist, muss es einfach nur den Regeln der Logik gehorchen, die teilweise den Regeln der Vernunft entsprechen, wie etwa dem Satz vom Widerspruch oder dem Satz vom ausgeschlossenen Dritten.

Aristoteles unterschied vier Typen von Behauptungen:

Alle S sind P
Kein S ist P
Manche S sind P
Manche S sind nicht P

Diese Behauptungen können in einem Syllogismus beliebig kombiniert werden, man erhält dadurch die 256 verschiedenen möglichen Argumente. Die meisten davon sind nicht gültig, Aristoteles konzentrierte sich auf die gültigen Varianten. Wie kann man aber beweisen, dass die gültigen tatsächlich gültig sind? Schließlich kommt es darauf an, die Gültigkeit der Argumente durch ihre Zugehörigkeit zu einer der gültigen Formen nachzuweisen. Es scheint unmöglich, diesen Beweis für die Argumentationsform selbst zu führen. Aristoteles erklärte jedoch, dass jede Argumentationskette einen nicht beweisbaren Ausgangspunkt besitzt. Der Begriff »selbstevident« spielt hier eine zentrale Rolle, führt jedoch unweigerlich zu der Frage: selbstevident für wen? Wie auch immer, der Begriff ist hier psychologisch und nicht logisch gemeint.

Im Gegensatz zu späteren Philosophen setzte Aristoteles voraus, dass das Subjekt einer Prämisse etwas sein müsse, das existiert, wie etwa in »alle Katzen haben Schnurrhaare«. Man versuchte dies später zu umgehen und schrieb:

Für jedes X gilt, wenn dieses X eine Katze ist, dann besitzt dieses X Schnurrhaare.

Schon in der Formulierung tut sich ein Abgrund zwischen der Alltagssprache und Logik auf.

Von allen Formen, in denen ein logisches Argument auftreten kann, ist diese die bekannteste:

Wenn ich Philosophie studiere, verliere ich den Verstand
Ich habe Philosophie studiert
───────────────────────────────────────
Ich habe den Verstand verloren

Man spricht hier vom *modus ponens*, es handelt sich um ein gültiges Argument. Dasselbe Argument ist in der Form

Wenn ich Philosophie studiere, verliere ich den Verstand
Ich habe den Verstand verloren
───────────────────────────────────────
Ich habe Philosophie studiert

jedoch nicht gültig.* Es handelt sich um einen Fehlschluss, der so häufig vorkommt, dass er einen eigenen Namen besitzt: Fehlschluss der anerkannten Konsequenz. (Bei einer »wenn ... dann«-Konstruktion nennt man den ersten Teil Antezedens und den zweiten Konsequenz.)

Eine zweite wichtige Form eines gültigen Arguments nennt man *modus tollens*. Für unser Beispiel lautete dies:

Wenn ich Philosophie studiere, verliere ich den Verstand
Ich habe meinen Verstand noch
───────────────────────────────────────
Ich habe nicht Philosophie studiert

Moderne Logik: Den Beginn der modernen Logik bringt man meist mit Gottlob Frege (1846–1925) und seiner Arbeit aus dem Jahr 1879 in Verbindung. Sie wurde dann im 20. Jahrhundert von Bertrand Russell (1872–1970) fortgeführt. Während Aristoteles sich mit der Struktur von oder vielmehr innerhalb von Sätzen beschäftigte, versucht die moderne Logik zumeist, Sätze als Propositionen und Einheiten darzustellen, die man etwa durch Symbole oder Schreibweisen manipulieren kann.

───────────────

* Ich könnte den Verstand ja auch aus einem anderen Grund verloren haben.

Zu den wichtigsten gehören:

UND	KONJUNKTION	•
ODER	DISJUNKTION	V
NICHT	NEGATION	~
WENN ... DANN	KONDITIONAL	♦
DANN UND NUR DANN WENN	BI-KONDITIONAL	≡

(Auch andere Symbole sind je nach Geschmack des Philosophen zu finden. Noch eine Anmerkung: »oder« bedeutet innerhalb der Logik »inklusive« – beide Möglichkeiten können also der Wahrheit entsprechen. Wenn Sie einem Logiker sagen, Sie hätten gerne einen Orangensaft ODER einen Tee, dann wundern Sie sich nicht, wenn sie ein ziemlich unappetitliches Gebräu vorgesetzt bekommen. Das Konditional beinhaltet im Übrigen keinerlei Beziehung, auch keine freundschaftliche ...)

Die Frage, in welchem Ausmaß unser logisches Denken tatsächlich auf Logik beruht, ist ein zentraler Aspekt zeitgenössischer westlicher Philosophie. Die in der standardisierten formalen Logik verwendete Definition von Gültigkeit lautet zum Beispiel, dass die Prämissen eines Arguments nicht wahr sein können, wenn die Schlussfolgerung falsch ist.

Selbst diese vorsichtige Beschreibung führt zu zwei merkwürdigen und etwas lächerlichen Konsequenzen (siehe auch Frage 100). Die eine besteht darin, dass jedes Argument mit widersprüchlichen Prämissen ohne Rücksicht auf die Schlussfolgerung gültig ist. Wenn zum Beispiel die erste Prämisse lautet, dass Schnee immer weiß ist, und die zweite, dass Schnee manchmal nicht weiß ist, folgt daraus logischerweise, dass der Mond ein Luftballon ist, denn jede Schlussfolgerung ist aus widersprüchlichen Prämissen möglich.

Die andere besteht darin, dass ein Argument, dessen Schlussfolgerung notwendigerweise wahr ist, immer gültig ist, auch wenn es die Prämissen nicht sind. Das liegt daran, dass die Schlussfolgerung unter keinen Umständen falsch sein kann, wenn die Prämissen wahr sind, denn die Schlussfolgerung selbst kann nicht falsch sein.

Also ist die Schlussfolgerung, »wenn Katzen fliegen können, können Hunde Auto fahren« absolut gültig, denn eine falsche Aussage kann jede andere Aussage nach sich ziehen. (Die Aussage »wenn P, dann Q« kann nämlich nur falsifiziert werden, wenn eine Situation existiert, in der P wahr ist und Q falsch, was in unserem Beispiel unmöglich ist.)

Logischer Positivismus Im Jahr 1922 wurde der Philosoph Moritz Schlick, bekannt geworden durch seine Übersetzung der Einsteinschen Theorien in die Philosophensprache, Professor der Philosophie an der Universität von Wien. Um Schlick herum bildete sich der so genannte Wiener Kreis, eine Gruppe sehr nüchterner, sehr wissenschaftlicher Philosophen, die sich als »logische Positivisten« bezeichneten. Zu diesem Kreis hatten nur Personen Zutritt, die darin übereinstimmten, dass nichts, was gesagt wird, irgendeine Bedeutung besitzt, solange es nicht mittels wissenschaftlicher Methoden »verifiziert« worden ist. Die Philosophen sind dadurch nicht überflüssig geworden, denn sie können die verifizierten Behauptungen (und erst recht die nicht verifizierten) daraufhin untersuchen, ob sie auch im Sinne der Logik korrekt formuliert worden sind.

Hätten sich die logischen Positivisten später gegründet, so hätten sie vielleicht eine Armbinde mit der Aufschrift »451« getragen, nach dem Vorbild des Feuerwehrmanns in Ray Bradburys Science-Fiction-Roman *Fahrenheit 451*, dessen Aufgabe es war, unerwünschte Bücher zu finden und zu verbrennen. Damit hätten sie zumindest anerkannt, wie viel ihre Ideologie dem mürrischen schottischen Philosophen David Hume verdankte (siehe auch Frage 100).

Metaphysik war eigentlich nur der Titel des Kapitels, das bei Aristoteles der »Physik« folgte. Man kann sie als »jenseits der Wissenschaft« oder sogar »vor der Wissenschaft« stehend bezeichnen, je nach Geschmack. Oder man definiert sie so, wie es H. L. Mencken (1880–1956) in seinen *Notebooks: Minority Report* tat. Er bezeichnete sie als eine Möglichkeit, die Fähigkeiten der Menschen zu steigern, sich gegenseitig zu langweilen, und stellte sie auf eine Stufe mit einer Abendgesellschaft von mehr als zwei Personen und mit einer epischen Dichtung. Die logischen Positivisten sprachen darüber vorzugsweise in ihrem eigenen speziellen Kauderwelsch.

Friedrich **Nietzsche** wurde 1844 (im »Jahr der Revolution«) im preußischen Röcken geboren und galt als Hitlers Favorit unter den Philosophen* (siehe auch Frage 101). Schopenhauers *Die Welt als Wille und Vorstellung* war ihm eine Offenbarung, die er für seine eigenen, etwas fragwürdigen Zwecke verwendete. Nietzsche sah die Menschheit und alles Lebendige in einem ständigen Kampf um *Macht.*

Nietzsche war ein Dichter-Philosoph, er schrieb von »Übermenschen« und Schlachten, litt selbst jedoch fast ständig unter gesundheitlichen Problemen, Kopfschmerzen und seiner chronischen Kurzsichtigkeit, außerdem auch unter Verdauungsschwierigkeiten. Kurz gesagt, er war eine recht tragische Figur. Nietzsche gab an einer Stelle etwas zaghaft dem Wetter die Schuld dafür, dass er »ein engstirniger, zurückgezogener Spezialist« geworden war und kein bedeutender, tapferer »Geist«. Andererseits erklärte er, dass seine Krankheiten ihn »langsam befreiten«, indem sie ihn zwangen, nicht mehr zu lehren und zu schreiben, sondern mit seinen Gewohnheiten zu brechen und seinem Dasein als »Bücherwurm« ein Ende zu machen.

Wie wir bereits in der Diskussion von Frage 101 erwähnt haben, war Nietzsches Absicht, als erklärter »erster Unmoralist« alle Werte neu zu definieren, mit der Demaskierung des Christentums

---

* Nietzsche selbst kümmerte sich nicht um Theorien, die sich mit der Überlegenheit einzelner Rassen beschäftigten, tatsächlich bewunderte er die Juden dafür, dass sie Jesus, den Propheten der Christen gekreuzigt hatten. Nietzsche haderte regelmäßig mit seinen Landsleuten: »Soweit Deutschland reicht, *verdirbt* es die Kultur … Die Deutschen sind *unfähig* jedes Begriffs von Größe … Den Deutschen geht jeder Begriff davon ab, wie gemein sie sind, aber das ist der Superlativ der Gemeinheit – sie *schämen* sich nicht einmal, bloß Deutsche zu sein.«

zu beginnen und »gut« ganz direkt in »schlecht« umzudeuten. Er konnte diese Aufgabe jedoch nicht abschließen. Daher gilt *Ecce Homo* als sein wichtigstes Werk, denn Nietzsche fiel 1889 dem Wahnsinn anheim.

Das Ziel der Menschheit besteht nach Nietzsche nicht in einer allgemeinen Strategie oder einem Prozess wie der Suche nach dem größtmöglichen Glück, sondern ist in den Aktivitäten ihrer Elite zu finden. Besonders bezeichnend ist seine Diskussion der Beziehung von »Herr« und »Sklave« in *Der Wille zur Macht*, wo alles Verhalten als Bemühung, Macht anzusammeln, beschrieben wird. Die logische Konsequenz seiner Theorie ist für Nietzsche der »Übermensch«, ein Individuum, das seine gesamte Macht nutzt, ohne dabei von Begriffen wie Gerechtigkeit oder Mitleid beeinflusst zu werden.

Im letzten Kapitel von *Ecce Homo*, »Warum ich ein Schicksal bin«, schreibt er:

Ich kenne mein Los. Es wird sich einmal an meinen Namen die Erinnerung an etwas Ungeheures anknüpfen – an eine Krisis, wie es keine auf Erden gab, an die tiefste Gewissenskollision, an eine Entscheidung heraufbeschworen gegen alles, was bis dahin geglaubt, gefordert, geheiligt worden war. Ich bin kein Mensch, ich bin Dynamit.

Nietzsches Werke sind nicht unbedingt Weltliteratur – werden aber von Philosophen bewundert. Sie sind auch nicht die Quintessenz der Philosophie – doch die Literaturkritiker halten sie dafür. So gesehen ist es ihm gelungen, sich unverdientermaßen einen Ruf als origineller und tiefsinniger Denker zu verschaffen.

Philosophie ist das Thema dieses Buchs. Man definiert sie manchmal missverständlich als »Liebe zur Weisheit«, aus dem griechischen *philia*, Liebe, und *sophia*, Weisheit. Man sagt, die alten Griechen hätten sie ein paar Jahrhunderte vor Christi Geburt erfunden, aber damit ignoriert man die Philosophie vor allem der Inder und Chinesen. Wenn wir Philosophie dennoch definieren wollen, sprechen wir wohl am sinnvollsten von der Liebe zum Widersprüchlichen. Man erfährt sie durch die künstliche Konzeption unvereinbarer Unterschiede, beginnend bei dem essenziellen Problem »Sein oder Nicht-Sein«, das einen zentralen Punkt der östlichen Philosophie darstellt. Philosophen haben ohnehin eine Schwäche für Gegenüberstellungen. Von »Sein oder Nicht-Sein« gehen sie zu »wahr oder falsch« über, dann zu »gut oder schlecht«, und vor allem in letzter Zeit tendieren sie zunehmend zu langweiligen linguistischen Begriffspaaren wie »Subjekt/Prädikat«, »objektiv/subjektiv«, »formell/informell«, »Inhalt/Objekt« und Ähnliches. Prädikate können mit Propositionen in Beziehung gesetzt werden und so weiter ...

Plato begründete die Tradition, andere durch die Verwendung von Fachausdrücken wie »Sophisten« zu verwirren, und tatsächlich ist die Philosophie auch eine gewisse Liebe zur Sophisterei. Aber der Begriff Philosophie wird auch noch in einem anderen Zusammenhang verwendet, und dieser hat etwas mit der Suche nach Wertmaßstäben und mit den Grundfragen der Menschheit zu tun.

Angewandte Philosophie ist die Anwendung philosophischer Techniken auf konkrete Fragen, die eine konkrete Antwort erfordern – etwa die Art von Fragen, die im Zusammenhang mit Medizin und Ethik auftreten, wenn die Erhaltung der Umwelt im Gegensatz zu den Bedürfnissen der Menschen steht oder auch bei Konflikten zwischen den Geschäftspraktiken und dem Wunsch nach Profit. Viele selbst ernannte Philosophen verweigern diesem Zweig bis heute die Anerkennung. Je weiter ihrer Meinung nach eine Diskussion von der Realität entfernt ist, desto besser für sie. Diese Einstellung kann jedoch absurde Konsequenzen nach sich ziehen. Eine bemerkenswerte Diskussion (sie fand 1957 statt, zur Zeit der amerikanischen Bürgerrechtsbewegung, und wurde zuletzt 1984 nachgedruckt), drehte sich offensichtlich, ohne sich des beleidigenden Charakters bewusst zu sein, um die »Proposition«: »Alle Neger sind Menschen«. John Passmore zitierte den gefeierten »Idealisten« Francis Herbert Bradley aus dem 19. Jahrhundert und erklärte, dass diese

Proposition »dem Zeichensystem der Realität einen idealen Inhalt zuschreibt«. Er fährt fort:

> »Alle Neger sind Menschen« bedeutet, dass in der Realität *alle Neger menschlich sind* (Hervorhebungen von Passmore). Sie vereinheitlicht, indem sie ein Prädikat einer einzigartigen Realität zuschreibt, obwohl dieses Prädikat an sich vielfältig ist, denn alle Propositionen haben schlussendlich dieselbe Form – sie unterstellen der Realität einen idealen Inhalt.*

Angesichts eines solchen Zeugnisses absoluter Realitätsferne kann man sich mehr angewandte Philosophie mit sozialem Bewusstsein nur dringend wünschen.

Orientalische Philosophie Die Philosophie des Ostens ist holistisch. Bei ihr wird nicht alles in seine Einzelteile zerlegt wie bei den analytischen Philosophen in der Tradition von Aristoteles (der unter einer schweren taxonomischen Störung litt). Anders hielt es da schon Plato, der die Bedeutung von Balance und Harmonie, zwei Elemente östlicher Philosophie, immer betont hatte.

Plato beschäftigte sich auch mit der orientalischen Anschauung, dass Philosophie sowohl aus Theorie – Lernen und Wissen – als auch aus Praxis – Leben und Sein – bestehe.

Vor allem in China sieht man Denken und Handeln als zwei Aspekte einer einzelnen Aktivität an – als zwei Seiten einer Medaille. *T'ai Chi* – ultimative Realität – setzt sich aus Geist (*li*) und Materie (*chi*) zusammen. Das Ziel ist, sich mit dem *Tao* in Einklang zu bringen. Was aber ist das *Tao*?

Das *Tao* ist leer. Laotse beschrieb das *Tao* im vierten Kapitel des *Tao Te King*. Diese Beschreibung kann man sehr wohl auch als Beschreibung der Philosophie insgesamt ansehen:

> Das Wesen ist gleich wie die Leere eines Gefäßes.
> Wer Wesen auswirkt/ist wie die Leere/

---

* Aus: John Passmore, *A Hundred Years of Philosophy*, Penguin, London 1957, Nachdruck 1984, S. 158–159.

Und sammelt nicht an.
Leer ist dennoch der unermessliche Schoß aller Dinge.
Standpunkte entgipfelnd/
Aus löst es Daseins Verworrenheit.
Überschattend Blendung/
Auf hellt es Einklang des Seins.
Stet ist seine Beschlossenheit.
Urkund seiner Herkunft erkennen wir:
Es war vor dem Angang alles Geschehens.

Siehe auch die Upanishaden und die Diskussion der Fragen 79–90.

Plato wurde 427 v. Chr. als Kind einer angesehenen Athener Familie mit politischen Verbindungen, vor allem zu demokratischen und oligarchischen Bewegungen, geboren. Auch er entwickelte politische Ambitionen: Seine in der Form eines Dramoletts geschriebene *Politeia* mit Sokrates als Hauptdarsteller ist nicht nur der Grundstein der gesamten westlichen Philosophie, sondern auch ein politisches Manifest. Allerdings hat sich nur die philosophische Arbeit durchgesetzt. Plato führte die Unterscheidung von Körper und Geist ein, die Descartes später vertiefte, und er entwickelte eine merkwürdige Theorie himmlischer Formen oder Ideen für jeden Begriff, über den wir verfügen. Dazu gehörten natürlich die himmlischen Formen der Schönheit und der Wahrheit, aber auch der »Dreiheit« oder »Vierheit«, der »Tischheit« und sogar der »Hässlichkeit«, aber über diese Dinge redete Plato nicht sehr gern.

Bertrand Arthur William **Russell** (1872–1970), Graf und Enkel eines viktorianischen Premierministers, war eine bemerkenswerte Mischung aus logischem Mathematiker und radikalem Freidenker. Sein Leben bestand aus erfolglosen Versuchen, die Mathematik auf eine sichere logische Basis zu stellen (vor allem in seiner *Principia Mathematica* [1910–1913]), aus seinen populären philosophischen Arbeiten (die *Probleme der Philosophie* sowie die *Geschichte der westlichen Philosophie*), und aus seiner Gefangenschaft ab dem

Jahr 1918, da seine ablehnende Haltung gegen das sinnlose Gemetzel des Ersten Weltkriegs dazu führte, dass er als Pazifist verfolgt und schließlich inhaftiert wurde.

Wie bereits erwähnt, gelang es Russell nicht, auch nur ein einziges Grundproblem der Philosophie zu lösen – aber er versuchte sein Bestes. Seine Unterscheidung zwischen zwei Formen des Wissens, die die Franzosen als *savoir* und *connaître* bezeichnen – er selbst nannte sie Wissen durch Bekanntschaft oder durch Beschreibung (oder umgekehrt), von denen die erste Form unmittelbarer und konkreter ist – wurde von der Nachwelt ebenfalls nicht angemessen gewürdigt. Dennoch erhielt er zum Trost 1952 den Nobelpreis – für Literatur.

Arthur **Schopenhauer** (er wurde so genannt, weil dieser Name in mehreren europäischen Sprachen derselbe ist und eine internationale Karriere dadurch erleichterte) wurde 1788 geboren und starb 1860. Im Alter von etwa 16 Jahren schickte man ihn nach Wimbledon ins Internat, wo er eine recht einsame Zeit verbracht haben muss, denn er schrieb, dass »Gesellschaft ein Feuer ist, an dem man sich mit gebührendem Abstand wärmen kann« (siehe auch Frage 96/97). Schopenhauer begann, Medizin zu studieren, wechselte dann aber zur Philosophie und beschäftigte sich vor allem mit Plato, Kant und der alten hinduistischen Philosophie der *Upanishaden*. Diese drei Einflüsse sind in seinem prä-existenzialistischen Werk vorherrschend: *Die Welt als Wille und Vorstellung*.

Die grundlegende, schon früh entwickelte Idee Schopenhauers war, dass jenseits der Alltagswelt noch eine zweite, bessere Welt existiert, in die der menschliche Geist einzudringen versucht, um ein Stück der Realität zu erhaschen. Es gibt die *Vorstellung* und den *Willen*, beide repräsentieren nach Schopenhauer die wahre Welt.

Im Zentrum der Schopenhauerschen Philosophie steht die Sexualität, denn sie ist das Wichtigste im Leben des Individuums, nicht etwa die angeseheneren »seriösen Probleme der Philosophie«. Er schrieb, dass die Genitalien »der eigentliche Brennpunkt des Willens« seien und die Liebe Ausdruck des Fortpflanzungstriebs unserer Spezies. Sie verschwindet, sobald die genetische Funktion erfüllt worden ist. Dennoch glaubte er mit Plato und den Buddhisten, dass es einen Weg gibt, den *Willen* zu transzendieren und über die Realität nachzudenken, ohne zu leiden oder zu kämpfen.

Schopenhauer war ein Zeitgenosse Hegels, hatte aber sonst nichts mit ihm gemeinsam. Als er 1820 zu einer Vorlesung nach Berlin geladen wurde, beschloss er, zur selben Zeit zu sprechen wie der Professor der Philosophie, der sich bereits auf dem Höhepunkt seiner Karriere befand. Er war von der geringen Zuschauerzahl sehr enttäuscht und schwor, nie mehr öffentliche Vorlesungen zu halten. Die Hegelsche Philosophie verglich er mit einem Tintenfisch, der mit seiner Tinte um sich spritzt, um sich zu verhüllen und andere Fische (oder Menschen) zu verwirren.

Die Stellung von **Sokrates** (5. Jahrhundert vor Christus) im europäischen Denken ähnelt der eines religiösen Führers. Obwohl er selbst nie etwas geschrieben hat, besaß er durch die Schriften seiner Nachfolger, von denen Plato der bekannteste ist, großen Einfluss. Auch *Der Staat* weist eine religiöse Färbung auf, preist Sokrates doch die Notwendigkeit, »das Gute« zu erkennen, was viele Fachleute als gleichbedeutend mit »Gott« ansehen. Ähnlichkeiten sind tatsächlich nicht von der Hand zu weisen.

In seinen späteren Jahren, nachdem er bereits mit Plato bekannt geworden war, beschäftigte er sich hauptsächlich mit Fragen der Ethik. Auf die Frage eines seiner Bewunderer soll das Orakel von Delphi geantwortet haben, Sokrates sei der weiseste Mann Griechenlands. Sokrates war jedoch vom Gegenteil überzeugt, denn er wusste, dass er nichts wusste, und wollte das Orakel widerlegen. Er begann, seine Zeitgenossen zu befragen, um jemanden zu finden, der zumindest etwas wusste. In der Praxis bedeutete dies, dass er ethische Probleme mit ihnen besprach, denn bei den alten Griechen besaßen Weisheit und ethisches Verständnis etwa denselben Stellenwert. Sokrates entdeckte, dass die Menschen entweder nicht wussten oder nicht erklären konnten, was sie über Dinge wie Gerechtigkeit, Schönheit, die Dreifaltigkeit und anderes dachten. Da

Sokrates aber *wusste*, dass er nichts wusste, hatte er das Orakel bestätigt, das ihn ja als Weisen bezeichnet hatte.

Sokrates' Untersuchungen waren nicht unbedingt beliebt, auch nicht seine mehr oder minder ausgeprägte Neigung zu Metaphern. Viele Athener verbanden seinen Namen mit Skeptizismus, den man damals als »modernen Unsinn« bezeichnete und zumindest teilweise als Ursache für verheerende Kriege ansah. Diese grundlegende Überzeugung der Klassizisten war es, die, wie auch immer die Gerichtsverhandlung oder die Vorwürfe ausgesehen haben, dazu führte, dass man Sokrates zum Tod verurteilte.

Plato lässt Sokrates in einem Brief aus dem Kerker sagen:

Schließlich aber kam ich zu der Überzeugung, dass alle jetzigen Staaten samt und sonders politisch verwahrlost sind, denn das ganze Gebiet der Gesetzgebung liegt in einem Zustand darnieder, der ohne eine ans Wunderbare grenzende Veranstaltung im Bunde mit einem glücklichen Zufall geradezu heillos ist. Und so sah ich mich denn zurückgedrängt auf die Pflege der echten Philosophie, der ich nachrühmen konnte, dass sie die Quelle der Erkenntnis ist für alles, was im öffentlichen Leben sowie für den Einzelnen als wahrhaft gerecht zu gelten hat. Es wird also die Menschheit, so erklärte ich, nicht eher von ihren Leiden erlöst werden, bis entweder die berufsmäßigen Vertreter der echten und wahren Philosophie zur Herrschaft im Staate gelangen oder bis die Inhaber der Regierungsgewalt in den Staaten infolge einer göttlichen Fügung sich zur ernstlichen Beschäftigung mit der echten Philosophie erschließen.

Einsteins Lieblingsphilosoph war der holländische Brillenschleifer, der einen Lehrstuhl als Philosoph an der Heidelberger Universität ausschlug, um weiter zu schleifen und zu polieren. Benedikt **Spinoza** (1632–1677) glaubte, dass alles eins sei. Körper und Geist waren nur zwei Aspekte von etwas anderem, das viele verschiedene Aspekte vereinte, darunter auch Gott. Nirgendwo nähert sich die westliche Philosophie der östlichen so sehr an wie in seinen Schriften.

Der **Strukturalismus** begann mit der Sprachphilosophie von Ferdinand de Saussure (1857–1913), dessen Arbeit in der zweiten Hälfte des letzten Jahrhunderts hoch im Kurs stand. Saussure glaubte, dass die Erklärung für unsere Art zu sprechen und zu denken, in der Struktur der Sprache begründet liege und nicht in den Regeln der Logik. Sein Semiologie genanntes Zeichensystem der Sprache sorgte für eine Neubelebung der Unterscheidung zwischen der Struktur der Sprache, der *langue*, und der Manifestation der Sprache, der *parole*. Zur Veranschaulichung dessen eignet sich etwa das Schachspiel. Die Regeln sind nur abstrakte Zeichen, aber ihre Manifestation ist ein konkretes Spiel. Die Sprache ist ein Zeichensystem, mit dem Gedanken ausgedrückt werden können – vergleichbar mit dem Schreiben, der Zeichensprache für Gehörlose und symbolischen Ritualen. Das Zeichen an sich kann dabei willkürlich gewählt werden. Erst das System gibt dem Zeichen seine Bedeutung.

Als Anthropologe wendete Claude Lévi-Strauss die wiederentdeckte strukturelle Linguistik auf die gesamte Kultur an. Da die Sprache den Menschen von allen anderen Lebewesen unterscheidet, definierte sie seiner Meinung nach auch kulturelle Phänomene. Wenn man vom Menschen spricht, spricht man auch von Sprache, und wenn man von Sprache spricht, spricht man auch von Gesellschaft. Die Strukturalisten versuchen, unter der Oberfläche der Sprache das verborgene Zeichensystem zu entdecken – die *langue*. Philosophische Probleme wurden so zu Problemen des Analysierens der Zeichensysteme, die unsere Welt strukturieren. Die Strukturalisten griffen auf die alte chinesische »Schule der Namen« zurück (etwa 380 v. Chr.), die aus einer Gruppe von Logikern bestand, die sich ebenfalls für die Beziehung zwischen Sprache und Realität interessierten.

Für einige der in unserem Buch verwendeten Paradoxien bieten die Strukturalisten eine eigene Erklärung an: Alles, was wir über die Welt wissen, erfahren wir durch Sinneswahrnehmungen. Die wahrgenommenen Phänomene besitzen ihre spezifischen Eigenschaften, weil unser Gehirn darauf ausgelegt ist, die Meldungen des Wahrnehmungsapparats auf eine bestimmte Weise zu interpretieren. Bei diesem Ordnungsprozess ist entscheidend, dass wir die Kontinuitäten von Zeit und Raum, die uns umgeben, grundsätzlich in kleine Segmente einteilen, sodass wir geneigt sind zu glauben, unsere Umwelt bestünde aus einer Vielzahl von Einzelheiten, die verschiedenen Obergruppen zuzuordnen sind, und Zeit als Abfolge einzelner, abgeschlossener Ereignisse verstehen.

Was als theoretische Methode zum besseren Verständnis von Sprache begonnen hatte, war nun zu einer allumfassenden Philosophie geworden. Alles, sogar das Unbewusste, war damit wie eine Sprache strukturiert. Plötzlich war alles vorherbestimmt. Der französische Philosoph Michel Foucault entwickelte später eine Theorie, nach der Macht nur mit Hilfe komplexer sozialer Strukturen funktionieren kann, die sich andauernd veränderten, da Wissen und Wahrheit keineswegs fixe Größen sind. In gewissem Sinne war er der erste Post-Strukturalist.

Jacques Derrida versuchte, das strukturalistische Modell zu zerstören, indem er dessen Ergebnisse zu metaphysischen Fantastereien erklärte. Die Suche nach der Wissenschaft der Zeichen war seiner Meinung nach ebenso irrelevant wie Descartes Vermutung, dass Körper und Geist wie zwei synchron laufende Uhrwerke aufeinander abgestimmt seien. Die Art, in der Begriffe historisch verwendet würden, und der Anspruch der Philosophie, die Wahrheit zu finden, seien nichts weiter als ein Vorwand. Ihre ganze Arbeit war reine Wortklauberei.

Wenn man ein und dasselbe auf zwei verschiedene Arten ausdrückt, nennt man das eine **Tautologie.** Der Satz »Das Fest wird am Samstag oder am Sonntag stattfinden, eventuell auch am Wochenende« ist eine Tautologie, aber auch sinnvolle Sätze wie »Schnee ist gefrorenes Wasser« oder sogar »2+2=4«. Philosophen mögen sie gern, weil sie fast immer wahr sind. Bei den alten Griechen waren besonders geometrische Wahrheiten sehr beliebt, zum Beispiel, dass die Summe der Innenwinkel in einem Dreieck 180 Grad beträgt oder dass das Quadrat über der Hypotenuse der Summe der Quadrate über den Katheten entspricht.

Ein beachtlicher Teil wissenschaftlicher Erkenntnisse besteht aus Tautologien – Wasser kocht bei 100 Grad, gleichzeitig werden 100 Grad Celsius als die Temperatur definiert, bei der Wasser beginnt zu kochen, solange jedes Molekül aus zwei Wasserstoff- und einem Sauerstoffatom besteht. (Was uns schon wieder zu einem der alten philosophischen Probleme führt, das bereits erwähnt wurde.) Wittgenstein hielt Tautologien in der Logik für besonders wichtig – er schrieb sogar, dass alle Wahrheit in der Logik aus Tautologien bestünde. Sein bevorzugtes Beispiel zur Veranschaulichung war die Aussage, dass es immer entweder regnet oder nicht regnet. Ein sehr problematisches Beispiel, aber schließlich war Wittgenstein ein außergewöhnlicher, österreichischer Mathematiklehrer (siehe unten).

In der Logik gelten Argumente wie dieses:

Wenn wir jeden Tag entweder Himbeer- oder Erdbeermarmelade zum Frühstück essen
Und wir heute keine Himbeermarmelade essen
Dann muss es Erdbeermarmelade sein, was wir heute zum Frühstück essen

(Die meisten Beispiele sind allerdings weniger appetitlich.)

Logische und mathematische Beweise sind nichts anderes als das Erkennen der verborgenen Tautologie hinter im Grunde irrelevanten Nebensätzen.

Bei den **Upanishaden** handelt es sich um ein episches Poem, das die Einheit aller Existenz beschreibt. In der indischen Philosophie liegt die Gewichtung auf der »Weisheit«. Vor 3 000 Jahren erklärten indische Weise, die die westliche Philosophie entscheidend beeinflusst haben, das Wesen der »höchsten Realität« dadurch, dass wir ein Teil davon sind. Nur in uns selbst können wir letztlich Atman finden, das eigentliche Selbst. Wenn wir noch tiefer in das »Nicht-Selbst« der externen Realität eindringen, werden wir Brahman finden, die ultimative Realität. Und dann werden wir feststellen, dass Brahman und Atman zwei Aspekte derselben Sache sind.

Das wichtigste ethische Prinzip zur Beurteilung der Konsequenzen einer Handlung ist das des **Utilitarismus**. Jeremy Benthams Formulierung lautet, dass die richtige Handlung die ist, die möglichst vielen möglichst viel Glück beschert. Allgemeine Glückseligkeit ist das Ziel. John Stuart Mill (1806–1873) nahm diese Theorie auf und lehnte insbesondere alternative Moraltheorien ab, da sie seiner Meinung nach nur die Interessen der herrschenden Klasse vertraten, aber nicht für Gerechtigkeit standen. Wenn jemand ein Leben voller Opfer predigt, schrieb Mill, will er damit erreichen, dass andere ihm ihr Leben opfern. Mill und Bentham erklärten den Wunsch des Menschen, glücklich zu sein, zu seinem tatsächlich einzigen echten Wunsch. Geraten Menschen in Interessenskonflikte, wägt der Utilitarismus die Konsequenzen gegeneinander ab und entscheidet, welche der Handlungen insgesamt den größeren Nutzen schafft.

Wahrheit Dieser Begriff ist gerade für Philosophen sehr problematisch. Plato sagte, dass etwas wahr ist, wenn es Dinge so beschreibt, wie sie sind. Diese Definition ist seitdem nicht verbessert worden, obwohl sie vollkommen wertlos ist. William James bot als Alternative an, dass etwas wahr ist, wenn es nutzbringende Konsequenzen nach sich zieht – die Theorie des Pragmatismus –, doch selbst die überzeugten Relativisten unter uns haben Schwierigkeiten mit diesem Ansatz.

Gar nicht zu reden von den Wahrheitswerten – von denen es normalerweise zwei gibt, nämlich wahr und falsch; manche behaupten jedoch, es gäbe noch einen dritten, unbestimmten Wahrheitswert (siehe Frage 52 zu den Seeschlachten).

Es gibt verschiedene Arten von **Wissen** – man kann eine Tatsache wissen, aber man kann auch wissen, wie man sich die Schnürsenkel bindet. Philosophen neigen dazu, Wissen auf das erste dieser Beispiele zu reduzieren und beschränken sich dann auf Tautologien. Descartes unterschied »klare und deutliche« Vorstellungen von anderen und bezeichnete diese als Wissen. Der Sprachphilosoph J. L. Austin aus Oxford erklärte, dass die Aussage, etwas zu wissen, beinhalte, dass man sein Wort gibt, also ein Versprechen abgibt (siehe auch Frage 2).

Ludwig **Wittgenstein** (1889–1951) war ein außergewöhnlicher Mathematiklehrer, Soldat, Ingenieur und schließlich widerwillig auch Philosoph, der in seinem Leben viele verschiedene Schlachten geschlagen hat. Wenn er sich nicht gerade in Cambridge mit Bertrand Russell beim Abendessen stritt, fand man ihn in einem Unterstand, von wo aus er Vorstöße gegen feindliche Soldaten leitete. Wenn er nicht gerade die Schüler in seinem Mathematikkurs beschimpfte, meckerte er an den Angestellten in seinem Aeronautik-Labor herum. Ein Ingenieur erinnert sich (in Ray Monks Wittgenstein-Biografie) daran, wie er versuchte, ein Flugzeug mit Propellermotoren zu bauen: »Wenn irgendetwas nicht funktionierte, was häufig vorkam, warf er seine Arme in die Luft, stampfte auf und begann wortreich auf Deutsch zu fluchen.«

Wenn er nicht auf den österreichischen Schlachtfeldern kämpfte, drangsalierte Wittgenstein seine Schüler für ihre angebliche Dummheit. (Er ließ sich schließlich davon überzeugen, vom Unterrichten Abstand zu nehmen, nachdem Eltern die polizeiliche Untersuchung eines »Vorfalls« eingefordert hatten, bei dem ein Kind das Bewusstsein verloren hatte!)

Wittgenstein hat *außerdem* auch zwei philosophische Bücher geschrieben. In seinem ersten Buch, aus dem Jahr 1922, nummerierte er jeden einzelnen Satz, um in leichter Selbstüberschätzung auf die Wichtigkeit seiner Einsichten hinzuweisen. Es trägt den Titel *Tractatus Logico-Philosophicus*, ein Titel, der von hohem Selbstwertgefühl zeugt. Darin steht, dass alle philosophischen Probleme gelöst sind, womit es in krassem Gegensatz zum gegenwärtigen Wissensstand steht!

Wittgenstein orientierte sich deutlich an den logischen Positivisten. Er war der Ansicht, dass Worte in direktem Zusammenhang zur Realität stehen, und zwar etwa in dem Verhältnis, wie eine von der Polizei vorgenommene Rekonstruktion eines Unfalls zu dem tatsächlichen Unfall steht. Wo dieser Vergleich nicht standhielt, und das war bei einem Großteil der Ethik, Metaphysik und auch der traditionellen Philosophie der Fall, hielt er sich an die Logischen Positivisten und erklärte die gesamte Diskussion zu leerem Geschwätz. Gleich zweimal schreibt er im *Tractatus*: »Wovon man nicht sprechen kann, darüber muss man schweigen«.

In seinem posthum veröffentlichten zweiten Buch *Philosophische Untersuchungen* nahm er einige seiner früheren Behauptungen zurück und verglich Worte und Sätze mit den Werkzeugen in einem Werkzeugkasten und mit den Schaltknöpfen am Armaturenbrett einer Lokomotive. Die Bedeutung entspricht also dem Gebrauch, folgerte er.

Heute wird Wittgenstein von hochkarätigen philosophischen Wissenschaftlern sehr geschätzt. Sie schreiben ihm fälschlicherweise Einsichten wie die »Theorie der Familienähnlichkeit« und die Entwicklung einzelner Fachbegriffe zu. Tatsächlich finden sich diese Einsichten schon in viel früheren (und deutlicheren) Arbeiten von Philosophen wie John Locke und René Descartes.

Plato nannte die **Zeit** »ein bewegliches Abbild der Ewigkeit«, was zwar poetisch klingt, aber nicht weiterhilft. Aristoteles ging in seiner *Physik* näher auf die Zeit ein und schrieb, sie sei Ausdruck der Veränderung einer materiellen Welt. Da sich die Dinge langsam, aber stetig ändern, schloss er, dass die Zeit ein Kontinuum sein müsse. Natürlich schließe, wie Plotin kurze Zeit später anmerkte, diese Definition der Zeit eine Referenz auf das Objekt der Diskussion ein, was ein Kennzeichen einer schlechten Definition sei. Plotin selbst ging bei seiner Beschreibung über die physische Welt hinaus und machte die Zeit zu einer Eigenschaft der Seele, die sich von einer Stufe zur nächsten bewege. Man könnte dies auch dahingehend interpretieren, dass die Zeit ein Bestandteil des Bewusstseins ist, und wo es kein Bewusstsein gibt, existiert somit auch keine Zeit. Die Zeit, so schrieb Plotin, sei in jeder Seele, und jede Seele sei wiederum Teil einer großen Seele. Weil die Zeit ein Ganzes sei, umfasse sie alles.

Wie dem auch sei, auch die Definition des Plotin scheint durch die Auffassung der Bewegung »von einer Stufe zur nächsten« die Zeit zu beinhalten, weswegen sie im Grunde auch nicht besser ist als die von Aristoteles.

Moderne Philosophen haben sich ebenfalls mit dieser besonderen Eigenschaft der Zeit beschäftigt, die sich nach T. S. Eliot als »Muster zeitloser Momente« darstellt. Alles hängt von dem unendlich kurzen Moment ab, den man Gegenwart nennt, von dem Brunnen, in dem »der Fluss sich aus dem Nichts ergießt« und den ergründlichen See der Vergangenheit bildet, sodass die Ereignisse, die »ins Sein geschwommen und fortgetrieben sind«, für immer real sind, während die Zukunft nicht existiert. Für die orientalische Philosophie schwebt die Existenz zwischen Sein und Nicht-Sein – zwischen Yang und Yin. Augustinus verfolgte einen ähnlichen Gedankengang, als er sagte, dass unser Sein auf dem schmalen Grat zwischen den Abgründen »noch nicht« und »nicht mehr« balanciere.

Literaturhinweise

Viele Fragestellungen in diesem Buch haben mit Metaphysik zu tun, mit Problemen, die jenseits der Wissenschaft liegen, wie etwa der Ursprung des Universums, die Zeit und die höchste Realität. Eine Reihe von Philosophen hat sich im Lauf der Jahrhunderte damit beschäftigt, aber heutzutage wird ein Großteil der Arbeit von Naturwissenschaftlern durchgeführt. Astronomen wie Carl Sagan und Frederick Hoyle haben sich intensiv mit dem Wesen des Universums beschäftigt, und die Kernphysik hat nicht nur mit Atomphysik und Philosophie zu tun, wie Fritjof Capra und Nigel Hawkes angemerkt haben, sondern auch mit Religion. Lesenswert sind vor allem *Das Tao der Physik* (Scherz Verlag, Bern 1987) von Fritjof Capra und *Einsteins Universum* (Umschau Verlag, Frankfurt am Main 1980) von Nigel Calder.

Einige Probleme, wie das in Frage 98 behandelte, sollten auch in ihrer ursprünglichen Version betrachtet werden; es ist in diesem Fall in der Philosophie von Descartes zu finden. *Von der Methode des richtigen Vernunftgebrauchs und der wissenschaftlichen Forschung* (Meiner Verlag, Hamburg 1997) sowie die *Meditationen über die Grundlagen der Philosophie* (Meiner Verlag, Hamburg 1994) sind 1637 beziehungsweise 1640 entstanden und unter anderem auch in *Philosophische Schriften in einem Band* mit einer Einführung von Rainer Specht (Meiner Verlag, Hamburg 1996) abgedruckt.

Zu den klassischen Werken der Philosophie gehören die *Zwei Abhandlungen über die Regierung* (Suhrkamp, Frankfurt am Main 1998) von John Locke, *Eine Untersuchung über den menschlichen Verstand* (Akademie Verlag, Berlin 1997) von David Hume und John Stuart Mills *Über die Freiheit* sowie *Der Utilitarismus* (Reclam Verlag, Stuttgart 1995 beziehungsweise 1994).

Wer sich für Künstliche Intelligenz interessiert, greift am besten zu Ranier Borns Artikelsammlung *Artificial Intelligence: the Case Against* (Croom Helm, London 1987). Darin findet sich auch John Searles Diskussion der Möglichkeiten, mit einer englischsprachigen Person, die sich in einem anderen Raum aufhält, mit Hilfe chinesischer Schriftzeichen zu kommunizieren. Damit soll die Funktionsweise eines Computers veranschaulicht werden.

Mathematisch Interessierte sollten *What is the name of this book*? (Penguin, London 1978) von Raymond Smullyan lesen. Dieses Buch ist leicht verständlich, hält sich aber mehr an die Mathematik als an die Philosophie. Grundlegender und tiefgreifender ist Chris Ormells Buch *Some Varieties of Superparadox* (MAG-Ashby, PO Box 16916, London 1993).

Die Fragestellungen 11–23 und 71–77 beschäftigen sich im weitesten Sinn mit Ethik und der Frage, was »richtig« und was »falsch« ist. Eine der wichtigsten Fragen hierbei ist, ob es denn eine solche Unterscheidung wirklich geben kann, womit wir schon fast wieder bei der Metaphysik angelangt wären. Sollte es sie aber geben, dann möchte man auch wissen, wie an die Differenzierung heranzugehen ist. Peter Singer hat einen gut durchdachten und wohlformulierten Bericht über einen möglichen Zugang – den Utilitarismus – geschrieben. Er ist Teil seines Buchs *Praktische Ethik* (Reclam Verlag, Stuttgart 1994). Allerdings ist dieses Buch sehr umstritten, Singer darf an vielen deutschen Universitäten nicht mehr lehren, da es menschenverachtende Äußerungen enthält, unter anderem über Behinderte. Als Alternative bietet sich die durchweg humanistische Arbeit *Exploring Ethics* (Blackwell, Oxford 1998) von Brenda Almond an, die, wie auch unser Buch, die Prosa zu Hilfe nimmt, um verschiedene Moraltheorien zu untersuchen.

Das Verlorene Königreich von Marjon verdanke ich ohne Zweifel John Rawls, dessen Einsichten in *Eine Theorie der Gerechtigkeit* (Suhrkamp, Frankfurt am Main 1998) nachgelesen werden können. Die Entscheidung, den Stadtrat zu stürzen, ist mit anderen Situationen vergleichbar, die mit der direkten Durchführung von Handlungen zu tun haben. Einen außergewöhnlichen Gesichtspunkt bietet der amerikanische Bürgerrechtler Martin Luther King in seinem Aufsatz *Slide Towards Freedom: the Montgomery Story* (Harper and Rowe, New York 1958).

Die Fragen zur Ethik der Medizin gründen unter anderem auf dem Artikel »In Defense of Abortion« von Judith Jarvis Thompson, der in mehreren Zeitschriften und Aufsatzsammlungen veröffentlicht worden ist (darunter auch Singers *Praktische Ethik*).

Die Fragen zur Persönlichkeit zielen auf das allgemeine Problem des freien Willens (Fragen 51/52), das von John Locke und Benedikt Spinoza (1632–1677) untersucht wurde. Die modernere, behavioristische Theorie findet sich in den Werken ihres Begründers John Watson (1878–1958) sowie bei B. F. Skinner. Watson hat einmal gesagt, dass er aus einem halben Dutzend »gesunder Babys« nach Wunsch Ärzte, Anwälte, Künstler, Bettler oder Diebe machen könne. Seit der Entdeckung der DNS im Jahr 1953 hat diese Ansicht neue Aktualität erhalten.

Wer sich für Seeschlachten interessiert, greife zu A. J. Ayers *Fatalism in the Concept of a Person* (Macmillan, London 1963), wo er darauf hinweist, dass vor allem der Unterschied zwischen dem, was sein wird und dem, was sein muss, signifikant ist.

Die Prinzipien des Utilitarismus, des Konzepts hinter dem hedonistischen Schläfer, den Marjoniern und zweifellos auch einigen Krankenhäusern finden sich ausführlich in den Werken von Jeremy Bentham und John Stuart Mill, insbesondere in Mills *Utilitarismus, Freiheit und repräsentative Demokratie* (Reclam, Stuttgart 1995). Neuere Untersuchungen bieten J. J. C. Smart und Bernard Williams in *Utilitarianism: For and Against* (Cambridge Universitiy Press, Cambridge 1973) sowie J. B. Priestley in *Man and Time* (Aldus, London 1964). Priestly verarbeitet dort einige äußerst merkwürdige Geschichten über Zeitverschiebungen, die ihm von Korrespondenten zugeschickt worden waren.

Andere Fragestellungen (30, 46 und 47) beschäftigen sich mit ästhetischen Urteilen, einem Thema, das Akademikern und Ästheten gleichermaßen bekannt vorkommen mag. Dagegen spielt »Von Briefmarken und Kartoffeln« auf gesellschaftliche Zustände an, ein

Bereich, den Philosophen überhaupt nicht zu ihrem Aufgabengebiet zählen. Dennoch sind beide Arbeitsfelder von geschichtlichem Interesse für die Philosophie, die Gründe dafür stehen in *Philosophy, the Basics* (Routledge, London 1996) von Nigel Warburton. Bertrand Russell und J. M. Keynes haben sich über Themen wie Wahrscheinlichkeit und Induktion ausführlich ausgetauscht, der Leser ist gut beraten, den Kommentar zur wirtschaftlichen Entwicklung und zur Ästhetik in Platos *Politeia* zu Rate zu ziehen. Erläuterungen zu Problemen wie Frage 30 finden sich in *Komar und Melamids Scientific Guide to Art* (Farrar, Strauss und Giroux New York 1998).

Literatur zur Philosophie allgemein

Bertrand Russells bis heute unerreichte *Philosophie des Abendlandes* (Europa Verlag, Wien 1995) listet die Ansichten vieler namhafter Philosophen in Kürze auf. Erst vor kurzer Zeit sind *Philosophy: A–Z* (Routledge, London 1998) von Nigel Warburton und *Exploring Philosophy* (Blackwell, Oxford 1995) von Brenda Almond erschienen.

Dan O'Connors *A Critical History of Western Philosophy* (Macmillan, London 1985) enthält eine Sammlung etwas schulmeisterlicher, aber verständlicher Artikel zu der Entwicklung der westlichen Philosophie. Interessanter und durchaus vergnüglich zu lesen ist *Philosophie: Eine Bildergeschichte für Einsteiger* (Fink Verlag, München 1996) von Richard Osborne.

Danksagung

Mein Dank gilt dem fiktiven Professor Lang-Weilig für seine unschätzbaren Kommentare zum letzten Absatz des Kapitels IV sowie meinem Hund Blackie, der das Manuskript klaglos viermal abgetippt hat. Fehler sind grundsätzlich Professor Lang-Weilig anzulasten, nicht mir. Vielleicht auch Blackie. Ferner danke ich Frau Cohen dafür, dass sie für mich Tee gekocht und daran geglaubt hat, dass es wirklich nur 99 Probleme der Philosophie gibt.

Danke Lil' Sis, Big Sis und Middle Sis. Auch meinen Eltern gilt mein Dank, ebenso Mike Morris, Terry Diffey und vor allem George MacDonald Ross sowie allen netten Philosophen; ferner meinen Verlegern Adrian Driscoll und Tony Bruce.

Natürlich darf ich meine Freunde von Molehill und F.A.T.S. nicht vergessen, die die Abbildungen besorgt und ihre Arbeit ausgezeichnet gemacht haben, außerdem danke ich Jon Coupland und seinen Computerfachleuten, die für mich eine ganz eigene virtuelle Realität geschaffen haben.

Im Übrigen danke ich allen, die ich hier nicht erwähnt habe.

Nicht zuletzt gebührt mein ganz spezieller Dank Lisa, der Professorin für chinesische (Verwirrungs-)Philosophie, die mich mit einem besonderen persönlichen Problem konfrontiert hat, das ich bisher noch nicht lösen konnte.

Was macht die Mücke beim Wolkenbruch?

Neue wunderbare Alltagsrätsel. Herausgegeben von Mick O'Hare / New Scientist. Aus dem Englischen von Helmut Reuter. Illustrationen von Spike Gerrell. 240 Seiten. Serie Piper

Was macht eine Mücke bei einem wirklich schweren Wolkenbruch? Warum krähen Hähne fast immer am Morgen? Und wieso sind Eier eiförmig? Unsere Welt ist voller kleiner Rätsel, über die die Menschen staunen. Für alle, die solche Fragen bewegen, hat die berühmte englische Zeitschrift »New Scientist« eine Seite eingerichtet. Dort antworten Leser auf Leserfragen aus aller Welt. Der Herausgeber hat die skurrilsten und hintergründigsten Fragen und Antworten herausgesucht. Es gibt jede Menge zu staunen und zu lernen!

»Auch dieses köstliche Wissenschaftsbrevier möchte man in einem Rutsch verschlingen.«
Westfälische Rundschau

Warum fallen schlafende Vögel nicht vom Baum?

Wunderbare Alltagsrätsel. Herausgegeben von Mick O'Hare / New Scientist. Aus dem Englischen von Helmut Reuter. Mit Illustrationen von Spike Gerrell. 247 Seiten. Serie Piper

Haben Sie etwa schon einmal einen schlafenden Vogel vom Baum fallen sehen? Warum niesen wir, wenn wir in die Sonne schauen? Warum fliegen fliegende Fische? Warum ist der Himmel blau? Unsere Welt ist voller kleiner Rätsel! Die berühmte englische Zeitschrift »New Scientist« hat für solche Fragen und Antworten eine »letzte Seite« eingerichtet. Dort antworten Leser aus aller Welt den Lesern aus aller Welt. Die schönsten, skurrilsten, hintergründigsten und auch normalsten Fragen und Antworten bietet dieses Buch. Es gibt viel zu staunen und zu lernen über die Welt um uns herum.

»Eine unterhaltsame Lektüre für all jene, die das Staunen über die kleinen Dinge des Alltags noch nicht verlernt haben.«
Die Welt

SERIE PIPER

SERIE PIPER

Robert L. Wolke

Was Einstein seinem Friseur erzählte

Naturwissenschaft im Alltag. Aus dem Amerikanischen von Helmut Reuter. 352 Seiten. Serie Piper

Ertrinkt man, wenn die Luftfeuchtigkeit 100 Prozent erreicht? Können wir in einem Auto, das mit Schallgeschwindigkeit unterwegs ist, noch Radio hören? Warum haben die meisten Länder Rechtsverkehr? Kann man sich in einem abstürzenden Aufzug retten, wenn man vor dem Aufprall in die Höhe springt? Albert Einstein – ging er überhaupt zum Friseur? – hätte an solchen Fragen sicher so viel Spaß gehabt wie Robert L. Wolke. Sein Bucherfolg »Woher weiß die Seife, was der Schmutz ist?« hat bewiesen, daß viele Menschen über die Rätsel und eigenartigen Phänomene des Alltags nachdenken. Erneut hilft Robert L. Wolke bei der Lösung mit amüsanten Erklärungen auf die Sprünge, außerdem liefert er viele Anregungen für Versuche und Kneipenwetten.

»Wissenschaftsbuch des Jahres«
Bild der Wissenschaft

Peter D'Epiro, Mary Desmond Pinkowish

Sieben Weltwunder, drei Furien

Und 64 andere Fragen, auf die Sie keine Antwort wissen. Aus dem Amerikanischen von Thorsten Schmidt. 443 Seiten mit 8 Abbildungen. Serie Piper

Kennen Sie die 3 Hauptsätze der Thermodynamik, die 3 Instanzen der Psyche und die 3 Furien? Wer sind die 4 apokalyptischen Reiter, und was sind die 5 Säulen des Islam? Können Sie die 10 Gebote aufsagen und die Namen der 12 Ritter der Tafelrunde nennen? Dieses Lexikon gibt, nach der Zahl geordnet, unterhaltsam und fundiert Antwort auf 66 Fragen, die man einmal wußte, inzwischen wieder vergessen hat – und nun in diesem Buch nachschlagen kann.

»Eine amüsante Tour de force durch den klassischen Bildungsfundus.«
Die Presse Wien

05/1458/01/L

05/1252/01/R

Robert Levine
Eine Landkarte der Zeit

Wie Kulturen mit Zeit umgehen.
Aus dem Amerikanischen von
Christa Broermann und
Karin Schuler. 320 Seiten.
Serie Piper

Um herauszufinden, wie Menschen in verschiedenen Kulturen mit der Zeit umgehen, hat Levine mit Hilfe von ungewöhnlichen Experimenten das Lebenstempo in 31 verschiedenen Ländern berechnet. Das Ergebnis ist eine höchst lebendige Theorie der verschiedenen Zeitformen und eine Antwort auf die Frage, ob ein geruhsames Leben glücklich macht.

Levine beschreibt die »Uhr-Zeit« im Gegensatz zur »Natur-Zeit« – dem natürlichen Rhythmus von Sonne und Jahreszeiten – und zur »Ereignis-Zeit« – der Strukturierung der Zeit nach Ereignissen. Robert Levine glückte ein anschauliches und eindrucksvolles Porträt der Zeit, das dazu anregt, unser alltägliches Leben aus einer anderen Perspektive zu betrachten und ganz neu zu überdenken.

Ambros P. Speiser
Regenbogen, Licht und Schall

Naturphänomenen auf der Spur.
231 Seiten mit 42 Abbildungen.
Serie Piper

Warum stehen wir nie dort, wo der schillernd bunte Regenbogen die Erde berührt? Was bedeutet die Zeit für uns? Wie kommt es, daß wir im Fernsehen bewegte Bilder sehen, die offensichtlich aus der Steckdose kommen? Tagtäglich sind wir von erstaunlichen physikalischen Phänomenen umgeben, deren Hintergründe wir nur selten kennen. Doch das muß nicht sein: Leicht verständlich, auch für all diejenigen, die im Physikunterricht nicht aufgepaßt haben, erklärt Ambros P. Speiser wichtige Naturerscheinungen und technische Errungenschaften. Mit Hilfe zahlreicher Abbildungen gelingt es ihm, verblüffende und interessante Alltagsphänomene anschaulich zu machen.

SERIE
PIPER

05/1247/01/L   05/1350/01/R

Bob Berman

Die Wunder des Nachthimmels

Alles über Sternbilder, Planeten und Galaxien. Aus dem Amerikanischen von Helmut Reuter. 391 Seiten mit 169 Abbildungen und 8 Farbtafeln. Serie Piper

Immer wieder staunen wir über die Wunder des Himmels und über die unendliche Weite des Universums. Ob Sonne, Mond und Sterne, das Nordlicht oder die Sonnenfinsternis, Rote Riesen, Weiße Zwerge oder Schwarze Löcher: Der erfahrene Astronom Bob Berman erklärt die Himmelsphänomene – viele davon kann man mit bloßem Auge sehen – umfassend, aber leicht verständlich und ohne Fachjargon. Ein Buch, das alle Sterngucker und sicher auch erfahrene Astronomen neugierig macht.

»Berman holt mit seiner einzigartigen Übersicht und mit wunderbarem Humor das Universum herunter auf die Erde. Er benutzt dafür eine alltägliche Sprache und öffnet den Kosmos auch für Anfänger.«
Sky & Telescope

Deborah Copaken Kogan

Das Abenteuer leben

Mit der Kamera um die Welt. Aus dem Amerikanischen von Andrea Fischer und Antje Kaiser. 397 Seiten mit 26 Fotos. Serie Piper

Deborah Kogan lebt und liebt das Abenteuer. Und so findet sie sich auf der Spur von Wilderern im afrikanischen Dschungel wieder, zwischen brennenden Barrikaden in Moskau oder in Gesellschaft von islamischen Kriegern im Hinterland Afghanistans. Sie ist immer auf der Suche nach dem richtigen Motiv – und der großen Liebe. Leidenschaftlich, selbstironisch und erfrischend direkt erzählt sie von ihren Erfahrungen als Fotojournalistin: von Kriegsverletzungen und Waisenkindern, von Enttäuschungen, aber auch von der Liebe und von ihren Träumen.

»Die faszinierende Reportage einer jungen Frau und ihrer Reisen durch die Minenfelder der Liebe und des Fotojournalismus.«
Time

05/1347/01/L

05/1464/01/R